Dedicato a mia moglie, Mari.

www.uomodeitulipani.com

Books Publisher
© 2009 - Logo Fausto Lupetti Editore
Via del Pratello, 31 - 40122 - Bologna - Italy
Tel. 39 051 5870786
In coedizione con
Galatea Srl
Piazza Grandi, 24 - 20135 - Milano - Italy
www.faustolupettieditore.it

Distribuito da Messaggerie Libri
Isbn 978-88-95962-10-8

© Lorenzo Marini & Associati
Via Tortona 15 - 20144 Milano - Italy
Ph. +39 02 5815181
Fax +39 02 8393323
www.lorenzomarini.com

Sede di New York
Lorenzo Marini & Associati Pool
20 West 22nd Street - Suite 1108
New York 10010 NY

Ph. +1 212 627 9613
Fax +1 212 627 2977

Lorenzo Marini

VISUAL

logo fausto lupetti editore

Lorenzo Marini

VISUAL

Un anno di visual.
Dieci anni di annual.

Un annual di visual. Dieci anni di annual.

di Lorenzo Marini

I visual sono le esche che catturano i pesci veloci dei nostri sguardi. Irrequieti, repentini, imprevedibili. Superficiali, a volte. Profondi, altre. Estetici, sfuggenti, impalpabili quando sono esercizi di stile. Toccanti, emozionanti, graffianti quando toccano il cuore. Provocano indifferenza o ilarità. Consumano il nulla o la carta di credito. Accarezzano il pallore del ricordo o graffiano l'emozione dell'anima.

I visual sono la punta dell'iceberg della comunicazione, sono la forma smagliante della pubblicità, sono il concetto che diventa estetica, l'etica che diventa linguaggio.

I visual sono la tavolozza immensa che racchiude tutte le possibilità cromatiche dell'immagine. Sono le figure retoriche che vanno dal contrasto alla citazione, dalla simbologia alla metafisica.

Non sono mai classificati come invece la parola, divisa tra sineddoche e metonimia, ellissi e iperbole, perché lo spazio interpretativo delle immagini è più ampio e i suoi contorni più sfumati. Nel visual anche la parola diventa elemento illustrato, decorazione, tatuaggio iconico, arcobaleno alfabetico.

Il visual è un minimo comune denominatore sopra il quale galleggia l'universo intero. È il fondotinta che rende bella la pelle di una creatura meravigliosa di nome advertising. E la struttura architettonica di uno spazio bidimensionale che è pagina, annuncio, manifesto, catalogo. È il rapporto tra la tipologia grafica con la morfologia pubblicitaria, tra le pagine tabellari e quelle redazionali, tra mondo del prodotto fisico e dell'universo della marca psichica. E l'impaginazione architettonica degli attimi in un trenta secondi bellissimo.

Gli occhi, dicevamo, sono l'ingresso delle immagini e i visual sono le esche virtuali che nutrono i pesciolini degli sguardi. Tutto si può fare, tutto vale. Purché l'attenzione venga catturata. Che senza questa prima, necessaria fase, non c'è ancoraggio di attenzione.

Che senza attenzione non c'è memorizzazione.
E senza questa non c'è ricordo, né spontaneo né aiutato.
E senza ricordo non c'è conoscenza. E come diceva Sri
Yogananda, si può amare solo ciò che si riconosce.

Tutto possiamo perdonare ai visual. Tutto, fuorché l'indifferenza,
la piattezza, l'omologazione. In un quotidiano - grigio - che il visual sia tutto
bianco o tutto nero, tutto pieno o tutto vuoto, ma che sia qualcosa. In pubblicità
l'ogm non dovrebbe esistere. Come non dovrebbe esistere una strada nuova ma ben
collaudata, nonostante le richieste dei committenti. Quello che il consumatore
postmoderno ci chiede (lo dicono anche le ricerche) è una sorta di nuovo
intrattenimento, un gioco garbato a nascondino dove il prodotto è la firma finale, il
tesoro cercato e trovato, che l'eccesso di mercificazione uccide la merce, così come
l'eccesso di prodotto uccide lo sguardo.

I visual rappresentati in questo libro sono un percorso di un art director che ha
attinto a piene mani nell'infinito mare delle idee che sono patrimonio di tutti, sono il
risultato di lavori di gruppo tra i creativi e gli account dell'agenzia che dirigo, sono
l'equilibrio architettonico tra l'esigenza dei nostri clienti e dei loro consumatori, sono
la possibilità di uscire dal banale quotidiano e segnare almeno per un attimo uno
sguardo polare tra tanti sguardi stellari cadenti. Realizzati a volte con la freschezza
dell'intuizione, a volte con la progressiva costruzione razionale. Approvati a volte
senza nessuna modifica, a volte con sensate e corrette richieste commerciali. Creati a
volte con l'impeto individuale, a volte con il delicato lavoro del gruppo creativo. Ma
tutti, sempre, con l'entusiasmo di chi ha scelto questo lavoro perché oggi, al mondo,
non ce n'è un altro di uguale. Creare l'immateriale della materia.

Past visual.

Baileys

Valle d'Aosta

Zanussi

Aperol

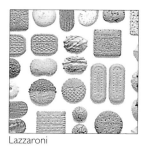
Lazzaroni

Eni

Agnesi

BMW

Banca Nazionale del Lavoro

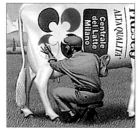

Centrale del latte Milano

Garda

Tre Marie

Clarks

Lancia Y

Cointreau

Candy

Benessere Pikenz

Emmental Switzerland

Visuals are the lures that capture the fleeting fish of our gaze. Restless, darting, unpredictable. Sometimes superficial. Sometimes profound. Visually satisfying, evasive, intangible when they are purely exercises in style. Moving, evocative and biting when they touch the heart. They can evoke indifference or hilarity. They may consume nothing, or hit the credit card. They may kindle dimmed memories, or break through to deep-felt emotion.

Visuals are the tip of the iceberg of communication. They are the glossy, tangible forms of advertising, concepts that become aesthetics, ethics transformed into language.

Visuals are the immense palette offering all the chromatic possibilities of the image. They are the rhetorical figures that range from contrast to quotation, from symbolism to metaphysics.

Visuals cannot be classified as can words, for which there are synecdoche, metonymy, ellipsis and hyperbole, because the range of interpretation of images is wider, and their boundaries are more blurred. In visuals, words themselves become an element of illustration and decoration, iconic tattoos, an alphabetical rainbow.

Visuals are a lowest common denominator, above which the entire universe is suspended. They are the foundation that makes the skin of a wonderful creature – advertising – so beautiful. And they are the architectural structure of a two-dimensional space whether printed page, advertisement, poster or catalogue. They encompass the relationship between graphic typology and advertising morphology, between advertising and editorial pages, between the world of the physical product and the universe of the psychic brand. The architectural layout regulating the moments of a masterly thirty second sequence.

The eyes, then, are the door admitting images, and visuals are the virtual bait offering nutrition to the shoals of silvery gazes. Everything is permitted, everything

has a purpose. As long as attention is captured. Because without this essential initial phase, attention has not been anchored. And if attention has not been captured, there is no chance of memorization. And without this there is no recollection, neither spontaneous nor prompted. Without recollection there is no knowledge. And as Sri Yogananda said, you can love only that which you know.

In a visual, everything can be forgiven. Everything except indifference, boredom, standardization. In the grey newspaper, a visual can be all black or all white, packed full or entirely empty, as long as there is something there.
In advertising, GMOs should not exist. Just as there can be no path that is both new and also well-proven, whatever the demands of clients. What post-modern consumers expect from us (as confirmed by market research) is a sort of new entertainment, a type of scarcely-veiled hide and seek in which the product is the final titles, the treasure that has been searched for and found.

They say that an excess of merchandising annihilates merchandise, just as an excess of product annihilates the gaze. The visuals illustrated in this book represent the oeuvre of an art director who has dipped deep into the infinite oceans of ideas that belong to everyone. They are the result of teamwork involving the creative directors and the account executives at the agency I run. They represent an architectural balance between our customers' requirements and the needs of their consumers.

They offer the chance to escape the banality of daily life, and to set one's gaze for a moment on a polestar amongst many ephemeral meteors. Some are made with the freshness of intuitive brilliance, others by means of progressive, rational construction. Some are approved with no modifications, while others incorporate justifiable and sensible marketing suggestions. They may be created through individual élan, or through the delicate work of a creative team. But they all express the enthusiasm of those who have chosen this career, because in today's world, there is nothing else like it. Creating the immaterial component of matter.

Visual creativi, visual account.

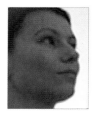    

Holding visual.

Disinnescare la realtà, ovvero l'idea fissa di Marini.

di Alberto Abruzzese

Se si dovesse tradurre in parole un solo libro di immagini, non basterebbe tutta la carta del mondo, non basterebbero tutte le voci dei suoi abitanti. Ed è vero in alcuni casi anche il contrario. Sono gli scrittori e i giudici e i poliziotti a credere che ci sia una traduzione possibile tra il vedere e lo scrivere. Eppure il nostro sentire, il nostro corpo, vive nel loro reciproco difetto di comprensione, nella loro mancata comunione.

Ma c'è qualcosa che distingue l'immagine dalla scrittura: la prima illude, la seconda obbliga; la prima emoziona, la seconda insegna.

Lo spazio della lettura ci costringe ai monumenti della memoria storica, alle trame sociali, alle dialettiche del potere e dell'identità.

Lo spazio dell'immagine è un buco nero nel multiverso di ogni tempo e luogo. Per fortuna e per disgrazia ciò che essa offre ai nostri sguardi funziona da membrana, da confine, sipario.

Ci protegge dal nulla e dal tutto. L'immagine è ciò che ci fa restare. La realtà che ci trattiene. Che appunto ci illude. E insieme, assoggettandoci, ci salva e ci uccide.

"Fisso l'idea" fu il magico motto che Gabriele D'Annunzio inventò per una marca di inchiostri e la magica frase con cui un noto creativo del primo novecento, Marcello Dudovich, rivelò il segreto del proprio mestiere di persuasore descrivendolo su un suo manifesto pubblicitario: piccolo capolavoro grafico di congiunzione strategica tra immagine e scrittura, marca e idea, prodotto e visione, invenzione e consumo.

Fissare l'idea non è tuttavia la stessa cosa che fissare l'immagine. Non è dunque la stessa cosa che fotografare. L'idea del pubblicitario riguarda il prodotto al quale l'immagine rimanda. L'idea è qui rivolta a distogliere lo spettatore dall'immagine appena ottenuta la sua attenzione mediante l'immagine stessa. L'idea del fotografo riguarda l'immagine, consiste nell'atto che la produce. La bella fotografia vuole essere consumata in sé e per sé. Il giusto visual vuole invece rimandare al consumo di qualcosa d'altro.

Insomma ciò che trovo interessante, inseguendo le innumerevoli immagini di Lorenzo Marini, sta proprio nello scarto che mi ha spinto a riconoscere tra l'artista della fotografia e l'artista del visual. L'intenzione fotografica fissa il visibile in una sua interpretazione: l'idea sta nello scatto che crea l'immagine attesa, fissa l'oggetto d'attenzione, lo costruisce come realtà strappandolo all'ubiquità infinita del reale. Lo impone come immagine - etica, estetica, politica o altro - carica di se stessa.

Il visual è invece fatto per svaporare nel processo immaginifico che innesta. È un invito a disinnescare il mortale dispositivo della realtà visibile, a disattivare la sua capacità distruttiva, così consentendo allo sguardo di liberarsi in altro dalle immagini che sembrano esserne il contenuto, per ricavarne da subito, ancor prima dell'acquisto e indipendentemente da esso, il proprio racconto di consumatore, la propria azione rigeneratrice, il proprio risarcimento personale.

Il potere dell'immagine
di Vanni Codeluppi

Viviamo in una civiltà
dell'immagine?
Roland Barthes, tanto
tempo fa, rispondeva
che è più giusto parlare
di "civiltà della scrittura",
perché la nostra
interpretazione del
linguaggio visivo ha
sempre bisogno di parole,
in forma di didascalia
o in altre forme.
In pubblicità, ad esempio,
l'interpretazione
dell'immagine ha bisogno
dell'*headline* o
della *bodycopy*, che
attribuiscono
un senso al *visual*.
Forse, all'epoca di Barthes
tutto ciò era vero.
Ma lo è ancora?

C'è chi, Umberto Eco in testa, pensa che siamo più che mai in una civiltà della scrittura. Pensa cioè che il computer, anziché fare scomparire come sembrava il testo verbale dentro il suo schermo, abbia stimolato le persone a scrivere. E si potrebbe dire la stessa cosa del telefonino. Tutto ciò però non comporta che il ruolo delle immagini si sia indebolito. Al contrario, l'immagine oggi è spesso in grado di parlare anche senza il testo verbale. Se no, perché la pubblicità avrebbe ridotto in questi ultimi anni il ruolo del verbale sin quasi a farlo scomparire? Perché in una situazione di ipertrofia comunicativa, con persone che si lanciano enormi quantità di messaggi e società e culture che si intrecciano sempre più tra loro, l'immagine è l'unica salvezza per chi ha bisogno di comunicare. Un'immagine potente può "bucare" lo schermo. Imporsi all'attenzione generale. E il mezzo migliore da utilizzare è ancora la stampa. Per la superiore definizione fotografica. Per il suo "splendore". E perché si può tenere in mano e toccare sin quasi ad appropriarsene fisicamente. Un'immagine diventa potente quando ha dentro di sé un concetto. Quando, come in molti dei casi presentati in questo libro, si limita semplicemente a tradurre con le specificità del linguaggio visivo una chiara idea di comunicazione. In questo caso le parole diventano superflue. L'immagine, infatti, è in grado di raccontare autonomamente delle storie. In apparenza, sembra non poter sviluppare la narrazione nel tempo, bloccata com'è nell'istante immobile dello scatto fotografico. In realtà, l'istante fissato dall'immagine può essere una storia condensata, un momento proveniente da un flusso narrativo più ampio che il fruitore viene indotto a ricostruire con la propria mente. Un momento che può racchiudere in sé delle grandi emozioni e scatenare delle altrettanto grandi passioni.

testa 90

Il potere della creatività.
di Oliviero Toscani

*"La creatività è genesi, nascita, forza divina,
energia, fantasia, sofferenza, impegno, fede, generosità.
La creatività deve essere visionaria, sovversiva, disturbante.
Comunque sia deve essere innovatrice,
deve spingere idee e concetti, deve mettere in discussione
stereotipi e vecchi modelli.
La creatività ha bisogno di coraggio.
Soltanto i creativi veri non hanno paura della creatività".*

*"La fotografia resta, e resterà per molto tempo
il nucleo di partenza dell'immagine moderna.
È un universo di comunicazione che parte sempre
dalla realtà, anche quando la modifica, la violenta, la cancella.
L'immagine è più reale della realtà perchè è un universo
nello stesso tempo chiuso e aperto a mille interpretazioni".*

AN ORDINARY VISUAL DAY

9 AM, AGENCY OPEN

3 PM, ACCOUNT BRIEFING

3,30 PM, PRODUCTION CHECK

4 PM, HEADLINES PRESENTATION

4 PM, STRATEGIC PLAN

11 AM, TEST RESULTS

10 AM, CREATIVE PRESENTATION

1 PM, LUNCH TIME

6 PM, CREATIVE REVIEW

Photo Manfredo Pinzauti

A CONCEPT, BEHIND.

DIETRO OGNI VISUAL, UN CONCETTO.

Viva
la
prugna.

VISUAL NOBERASCO

"I graffiti sono il nostro stato di civiltà, la nostra arte primitiva." Dal mondo dei writers e dei murales, un visual che è parola, nato con ironia citando una affermazione quotidianamente usata, rivista, corretta e adattata per le prugne di Noberasco.

VISUAL TRE MARIE

Dal cinema, il visual attinge ampiamente le simbologie.
In questo caso la famosa icona de "Lo squalo" diventa immagine riportata e capovolta semanticamente.
Una pinna Tre Marie croissant naviga in un mare di cioccolato.
La promessa è la bontà adulta, matura, eccessiva.

VISUAL CARACTÈRE

Un segno, un graffio,
un'imperfezione.
Per una donna che fa dei suoi
difetti un simbolo di personalità.
Ancora una volta un richiamo
all'arte concettuale, in questo caso
all'arte di Fontana.

VISUAL MEDITERRANEA

La compattezza semantica e la metamorfosi naturale e artisitca di bellezza e natura diventano promessa e reason why dei prodotti cosmetici Mediterranea. Il visual è citazione pura: la pubblicità si nutre di tutto ciò che le sta attorno.

VISUAL NATUZZI

Contrapposizione di note e rigo musicale per indicare i due eccessi del mercato dell'arredamento. Da una parte rigore e squallore e dall'altra eccessivo e barocco. Italsofa si posiziona al centro armonico, tra due visual estremi.

VISUAL AVIS

Nata da uno scarabocchio fatto con una biro rossa, la campagna AVIS per le donazioni di sangue, diventa una scrittura da non interrompere. La penna non può finire il suo inchiostro.
Visual essenziale, minimalista, simbolico.

VISUAL CARIPARMA

L'immagine espressionista, poetica della umanizzazione in un mutuo tradizionalmente freddo come quello bancario, porta al consumatore l'esplosione del problema. A cui Cariparma risponde con intelligenza.

*Da oggi offriamo
ai nostri correntisti
un servizio in più. Anzi, molti:*

VISUAL FERRETTI

Uno yacht che si fa da parte
per il suo armatore.
L'essere prende il posto dell'avere
e la psicologia dell'immateriale
prende il posto della materialità
dello scafo.
Visual di nostalgia grazie al bianco
e nero. Visual di eleganza grazie
al non esibito. Visual di brand
grazie al non prodotto.

VISUAL CHINA MARTINI

Visual futuristico per China Martini,
una sorta di ritorno alle origini.
Valori come dinamismo, vitalità,
modernità ma anche citazione
culturale. Visual come omaggio,
tra flirt e scippo.

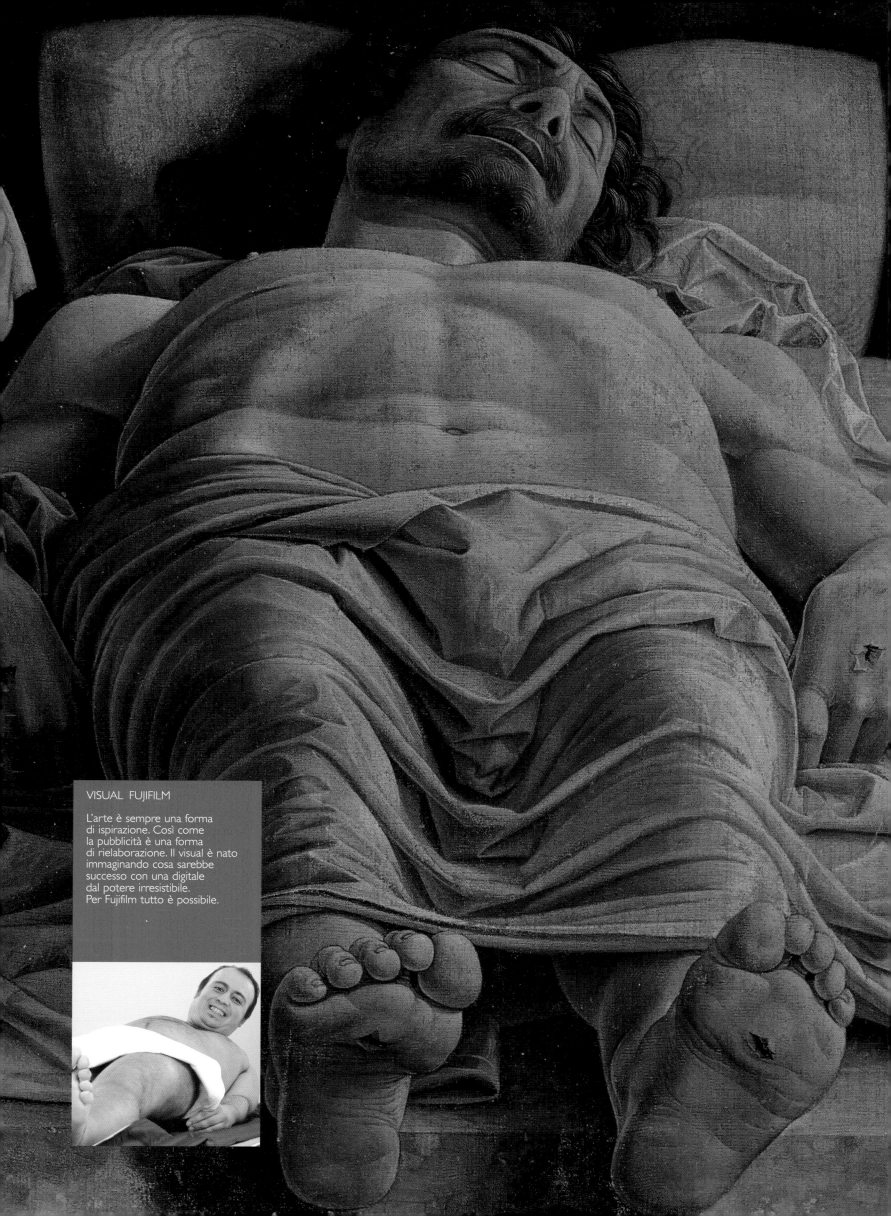

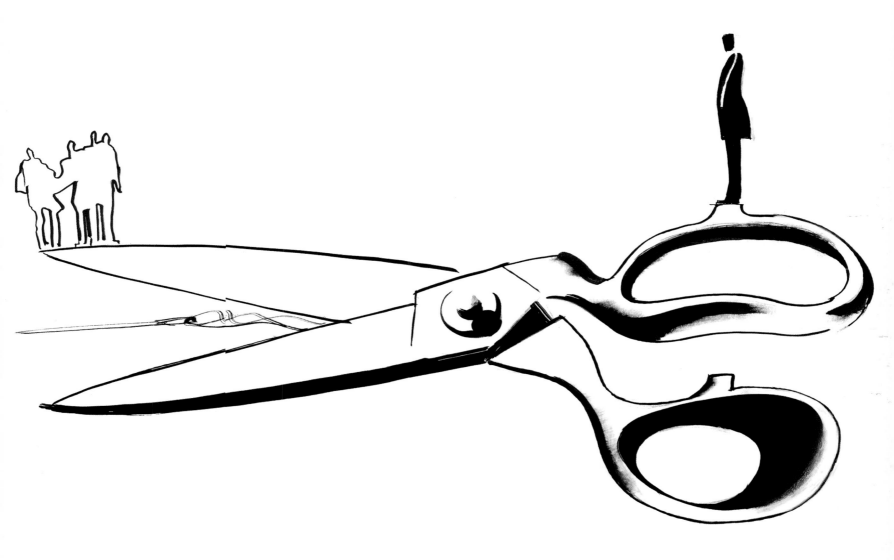

ossa un piccolo capola...
...to di anni di ricerca e t...
...a verso la massima qu...

...giacca Canali vien...
...particolari: la spalla...
...mica sono le parti p...
...ro la differenza.

VISUAL CANALI

Una sartorialità che racconta
attraverso il disegno anzichè la
foto, attraverso il testo anzichè
l'immagine per Canali.
Con il tocco dinamico di Ferenc
Pintér e la calligrafia di Chen Li,
il visual diventa un *carnet de
voyage* contemporaneo.
Una tappezzeria tipografica
testimonia un racconto
artigianale.

Telefono

Internet

Video

VISUAL FASTWEB

L'icona cromatica del tricolore italiano con la somma algebrica di ogni elemento per spiegare la convergenza offerta da Fastweb. Il "visual pizza" è la risultanza dei singoli elementi, fusione e armonia del tutto.

VISUAL CARGLASS

Riparare è più difficile
che sostituire.
Non per Carglass che trasforma
un problema in una soluzione.
Sdrammatizzata e ironica.
Un buco, in fondo, non è mai
una frattura irreparabile.
Il visual diventa buco coperto,
frattura riparata, coincidenza
sdrammatizzata.

VISUAL CARACTÈRE.

L'arte come forma di ispirazione.
Eleganza tra le righe.
Capi spalla come architetture
di armonia per Caractère.
Il visual diventa scenografia,
suggerimento dietro le quinte.

VISUAL STELLA

Visual nato per la caffettiera
Stella che ha come promessa
un caffè più saporito
e forte, grazie al doppio
strato di acciaio.
Lo scorpione diventa qui
il simbolo di una tentazione
velenosa. I codici semantici
sono quelli di un lusso sensuale
e trasgressivo.

STELLA

C'ERA UNA VOLTA...

VISUAL ERG MOBILE

Visual di gesto che è invito
e telefonata assieme.
Che è indicazione e ambiguità
allo stesso tempo.
Che è socialità e nuovo servizio
di ERG che entra nella telefonia
grazie anche al benzinaio
superstar.

La paradossale arte del visual.

di Giovanni Baule

Potrebbe suonare come paradossale, cioè contrario all'aspettativa, alla comune opinione; ma forse è proprio il paradosso la vera cifra che regola la retorica comunicativo-visiva. Usiamo il linguaggio, come ci ricordava Gorge Steiner, molto più per parlare di quello che non c'è che per descrivere la realtà. Si parla sempre in assenza di qualcosa, o di qualcuno, rovesciando il principio di buona educazione per il quale degli assenti non si dovrebbe mai parlare (bene?, male?). Invece la comunicazione (visiva) è un costante parlare in assenza. E ricchissime iconologie sacre, mitologiche, simboliste si sono esercitate per secoli in questa direzione fino a toccare un obiettivo estremo: la figurazione del non rappresentabile.

Paradossale, e conseguente, è che i pionieri del cartellonismo si siano cimentati, mettendo a prova tutta la loro competenza pittorica, proprio per innescare il meccanismo del parlare in assenza delle merci, quei prodotti che essi erano chiamati a pubblicizzare e che evitavano di riprodurre tali e quali; di più: sperimentavano sui luminosissimi supporti cromolitografici, in abbaglianti giochi di luci e di colori, tutte le formule narrative che consentissero di evocare senza mostrare per vie dirette. Limitando all'estremo la rappresentazione visiva del prodotto, riducendola a citazione minima se non negandola, mettevano le basi della meccanica del visual. Cappiello ha creato prototipi in

questa direzione, inaugurando il sistema dell'iconografia fantastica, della personificazione della marca, usando la trasfigurazione fantasmatica e onirica, un processo d'astrazione che ha inaugurato un nuovo paesaggio figurativo.

La grande missione compiuta dal visual storico è stata l'educazione dello sguardo: una vera e propria educazione visiva di massa condotta da veri e propri "formatori" dello sguardo, che ha modificato, di generazione in generazione, le comuni competenze percettive. Con il medesimo consapevole obiettivo dichiarato da Proust: l'autore modella un suo pubblico, che non esiste nel momento in cui si inizia a scrivere, ma comincia a esistere come conseguenza, come effetto della sua opera. Il visual istituisce via via una diversa sensibilità: c'è, in quel processo che allontana le immagini dal loro referente, una modificazione genetica dello sguardo che si abitua sempre di più a vedere, attraverso le immagini, non cose ma racconti, narrazioni.

Il salto mortale cui ci esercita la palestra del visual è quello di un continuo trapassare la faccia visibile delle cose per vedere oltre: un duro allenamento cui ci sottopone per convincerci che la realtà possiede altre facce al di là di quelle previste dal nostro campo visivo, così decisamente unilaterale, e al di là di quelle restituite dalla proiezione bidimensionale del-

l'immagine retinica; si può allora percepire un'altra profondità, che è la distanza che intercorre tra vedibilità e visibilità. Tutto questo spinge a una nuova geometria degli sguardi che punta all'infinito, che riguarda l'estasi: l'essere rapiti da visioni imprevedibili.

Quando lavorano sul "non detto", sull'implicito, poggiando sul senso interstiziale delle cose, le strategie argomentative scavalcano lo stereotipo e immettono in quei paesaggi paradossali che sono il "tempo sospeso" del visual. Così come la costruzione del miglior visual scavalca le vecchie gabbie del target e i suoi fondamentalismi, in favore di una comunicazione che interloquisce con la comunità degli utenti-cittadini meno segmentizzati e più adulti e liberi di interagire con il sistema delle merci comunicate.

L'arte del visual - lo si coglie immediatamente di fronte alle narrazioni di Marini - è un lavoro fondato sulla tecnica sottrattiva: un lavoro di continua limatura, di riduzione all'essenza. "Essere artisti significa saper levigare le ruvide superfici del reale fino a renderle così lisce da rispecchiare tutta l'immensità, dalle altezze del cielo fino ai baratri dell'inferno" (Schnitzler). Il tutto avviene attraverso un uso attento, calibrato dell'apparenza sensibile delle cose, non più cose ma connessioni di senso, che chiedono più connettività che creatività.

Paradossale, ma poi non tanto. Il nitore estremo dei visual di Marini, i suoi fondali tersi, la presa dei dettagli, gli innesti sapienti, soprattutto il rispetto delle pause e dei silenzi, quel piglio gentilmente aristocratico che lo caratterizza, quella nettezza comunicativa assai rara, spingono in questa direzione: quella delle immagini che bucano la superficie rugosa delle cose per trovare un ritmo proprio. E' un continuo "fare il vuoto per ripartire da zero; ottenendo i risultati più straordinari riducendo al minimo elementi visuali e linguaggio, come in un mondo alla fine del mondo" (Calvino).

Così lavora il miglior visual, che è tale ad una condizione: quella di sapersi porre un gradino sopra il rumore insostenibile del paesaggio comunicativo che lo accoglie e lo veicola. Che lo affonda e lo consuma quando la saturazione visiva si fa insostenibile, produce grumi di sovrapposizioni, blocca la fluida circolazione delle immagini. Il "furto dell'immaginario e la civiltà del rumore" (Dorfles) sono sempre in agguato, pronti a distruggere quel lavoro di educazione alla visionarietà per cui il visual lavora da cent'anni. Ma il paradossale marchingegno del visual può essere portatore di anticorpi attivi nella civiltà dell'immaginario rubato.

Di punto in bianco.
Ho visto cose che voi umani...
di Till Neuburg

Nella lingua di tutti i giorni, il punto può essere un punto morto, un punto di rottura, a volte persino un punto di non ritorno. In verità, nella nostra lingua il punto è vissuto come un segno un tantino calvinista. Non ammette di essere mediato, interpretato, variato. È una sorta di aut-aut, univoco e assoluto. Fine. The End.

Da Ponte Chiasso fino all'isola di Lampedusa, il periodo breve, la chiarezza, la directness, non sono molto popolari. Se qui vuoi farti capire, devi alludere, scrivere e leggere in gergo, meglio tra le righe. Conviene continuamente cambiare gesti, intonazione, toni, colore.

Invece, quel maledetto punto è quasi sempre nero su bianco. Black and white. Un autentico Noir semantico in mezzo al Ferraniacolor del nostro parlottare nostalgico, tra correnti, parenti e serpenti. Un po' come dire: Fritz Lang finito a Cinecittà per girare "Totò a Colori".

Invece, in tutto il mondo gli schermi delle multisale, la carta dei giornali e le risme per le fotocopiatrici, sono rigorosamente bianchi. Talmente bianchi che più bianchi non si può.

E qui siamo di nuovo nel pieno del nostro plot.

Come tutti sanno (in questo caso, "tutti" non è un'iperbole rivolta solo ai professionisti della pubblicità - lo ricordano milioni di telespettatori del popolare programma Bulldozer con Vergassola e la Panicucci), Lorenzo Marini ama il bianco. Lo ama in modo austero, ma appassionato: non solo indossa di preferenza la più paradossale somma dei colori dell'arcobaleno, ma nella sua agenzia - che sembra un'ariosa residenza estiva di un collezionista d'arte, - c'è un angolo che invita lì per lì a partire per un Grand Tour nei pensieri di questo insolito comunicatore: ciò che nelle altre agenzie è targato con l'impersonale scritta Meeting Room, qui è un luminoso luogo dove l'ospite può scegliere tra dieci bianchissime sedie - una diversa dall'altra e ciascuna realizzata in materiali, stili e forme assolutamente uniche, individuali e differenti.

Sono dieci candidi inviti a nozze per sposare finalmente la pace, il silenzio, il relax. Dei petting visivi che nel giro della pubblicità sono privilegi che di solito sono riservati esclusivamente Paperoni delle holding che controll business internazionale dei medi annunci, degli spot.

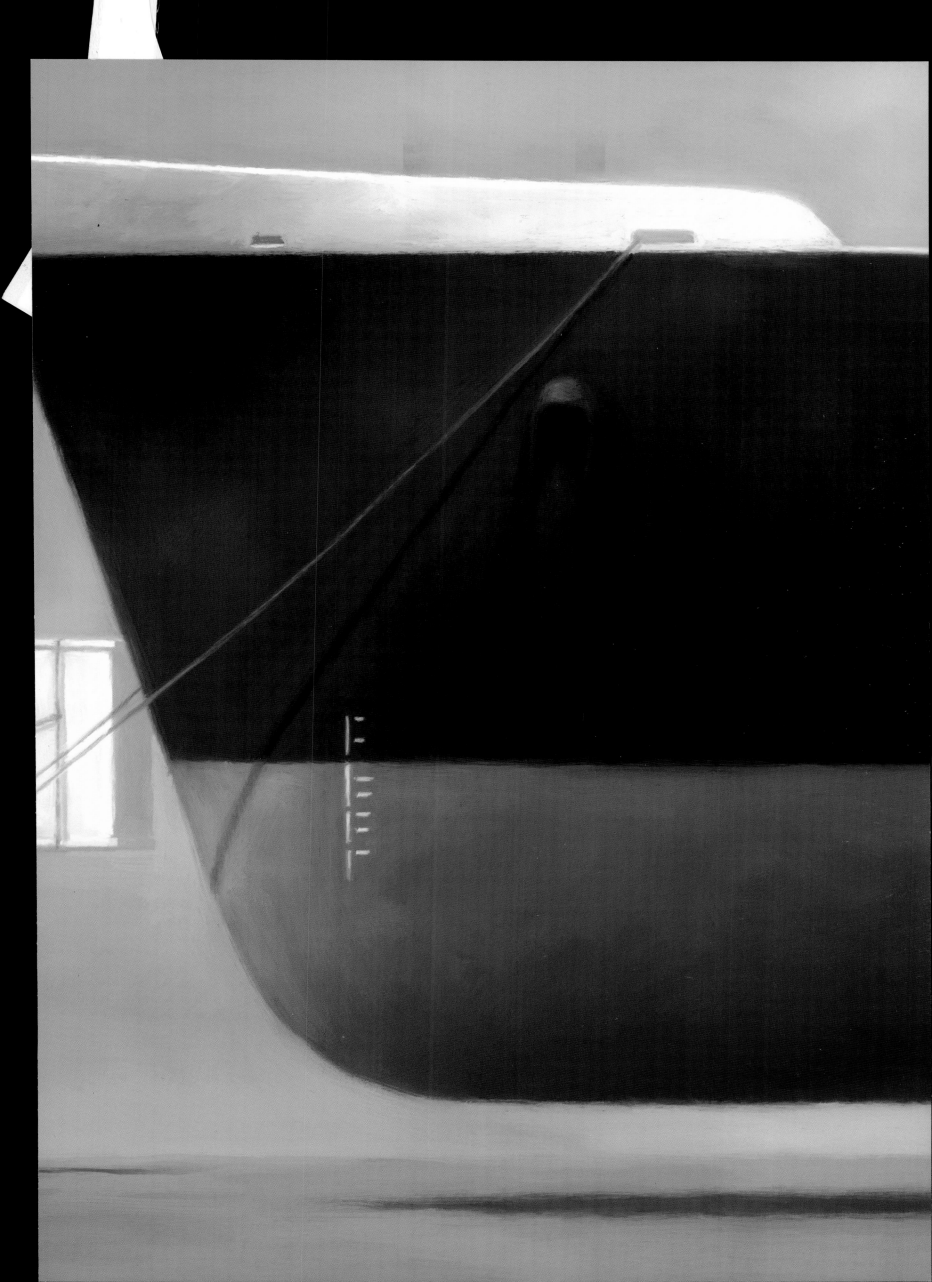

Già nel lontano 1996, in un'intervista a Der Spiegel, il saggista e poeta Hans Magnus Enzensberger aveva definito i valori che sarebbero diventati i nuovi paradigmi del lusso: lo spazio, il silenzio, il tempo, la sicurezza, il silenzio, la ragionevolezza ambientale.

Tra le sigle che in questo paese creano le campagne di maggior successo, la Lorenzo Marini & Associati è una delle pochissime che non devono continuamente "relazionarsi" con dei fantomatici Financial strategist e Cost controller residenti a Londra, New York, Parigi o Tokyo.

Parafrasando le battaglie verbali dei vari Benjamin Franklin e de Lafayette, in via Tortona 15 a Milano non si è mai dovuto combattere nessuna Guerra d'Indipendenza. La sola bandiera bianca sventolata in quell'agenzia, era ed è il vessillo dell'originalità. Ogni volta che si comincia a dialogare con un committente, si riparte da zero. Ciascuna campagna inizia come un autentico start up. Alla partenza, i fogli per gli appunti e i blocchi dei layout sono sempre vergini. Niente modelli, niente schemi, niente format. Senza negare l'esperienza e il know how, tutti i riferimenti alle campagne precedenti vengono azzerati.

Fino a ritrovarsi davanti a una fertile tabula rasa - in fast rewind.

Lo stile di Marini e dei suoi creativi, consiste nel fatto che, in totale controtendenza al sistema imperante dei cosiddetti modelli trendy, lui non ha uno stile. Se posso dirla parafrasando il solito Oscar Wilde: «Se vuoi capire gli altri devi intensificare il tuo individualismo». Da qui, all'universo del grande irlandese, un link è d'obbligo e naturale: «Il vero mistero del mondo è ciò che si vede, non l'invisibile».

Quando Magritte dipinge la sua famosa pipa con la scritta «Ceci n'est pas une pipe» esprime una poetica ma potente ovvietà: ciò che noi chiamiamo pipa e solo un quadro dove, ça va sans dire, questo virtuale "solo" fa la grande differenza tra l'oggetto riprodotto e una rivoluzionaria opera di conceptual art.

Quella pipa è una rappresentazione, uno spettacolo, la storica materializzazione di un'idea che l'artista covava nella sua mente. È una pipa che non è una pipa ma semplicemente il "visual" di una pipa.

È uno statement, un manifesto - un cartel-

lone, come una volta si diceva qu. potenza sta nel fatto che ciò che (mato headline, qui è a sua volta un \ togramma verbale che un amico del, sofo Michel Foucault, definì con il succi Calligramme.

Il calligramma è una sorta di poes già usata da Simia di Rodi e da Teocrito e, in romana, da Levio e da Publilio Optaziano Po Nel medioevo fu ripreso dal teologo tedesco Rabano Mauro per essere riscoperto dalle avanguardie del novecento: Mallarmé, Apollinaire, Marinetti, Ardengo Soffici.

A guardar bene (guardare - non vedere!), anche la grafica dei Suprematisti russi, del Bauhaus, del De Stijl olandese e gran parte della comunicazione pop (non della Pop Art che è stata essenzialmente una sorridente ma lucida rilettura della modernità), si basavano spesso su calligrammi dove la parola non era solo supporto o spiegazione, ma a sua volta vettore per un intenso visual dialogue.

Se poi pensiamo, per esempio, ai titoli di film creati da Saul Bass o ai famosi marchi evergreen (Pirelli, Mercedes, YSL, Omega, Nike), ci rendiamo perfettamente conto perché anche un semplice segno può trasformarsi in un segnale che emana un'energia unica e individuale. Sono led che si tramutano in lampeggi, pixel RGB che si sommano fino a formare un luminoso monitor LCD.

Lorenzo Marini non è un creativo colto in flagranza di citazioni grafiche, ma è colto tout court. Le sue parole disegnate e impaginate per Grazia (1990), per Best Company (1997), per AIDS (1999), per Canali (2005), per IULM (2005) e ogni frame del suo spot Chinamartini (2003), sono calligrammi nei quali gli intervalli tra segno, lettera e interpunzione sono sincopati in modo organico con l'intero spazio nel quale questi "visual" alfabetici si manifestano - sempre con grazia e levità.

Ma, allo stesso tempo, la magia dei giri logici e morfologici si rivela anche grazie al loro contrario: la non-forma, l'interstizio, l'intervallo, lo spazio, il silenzio. Quando lo stesso Marini cita Miles Davis («La cosa importante sono le pause»), mi viene spontaneo aggiungere un altro pensiero del sublime poeta afro-americano: «Non esistono note sbagliate».

La grandezza di questo motto sta nel fatto che, effettivamente, la singola nota in sé non ha alcun valore. È pura quantità. Solo la sua combinazione, e le pause che ne scandiscono la cadenza e le aritmie, le assegnano un'aureola di vita e di creatività. Chissà perché, l'ultimo libro di Lorenzo Marini ha per titolo "Note"…

Punto e virgola, trattino, parentesi chiusa.

Prima che gli sms e le chat dei nostri figli fossero invase dagli emoticon (come quello che avete appena ricostruito nella vostra mente), dai cmq, dagli anke e dai xke', la scrittura delle parole era sempre un'estensione diretta dei nostri sensi verso la carta - scritta o stampata - una mutazione perenne dal puro foglio nell'immagine e nell'abc. Scrivere, disegnare, colorare, stampare era una scelta arbitraria o disciplinata, individuale o collettiva, manuale o iper tecnologica - ma sempre un'opzione che partiva dalla purezza del foglio bianco inseminato dall'adrenalina del nostro pensiero. Stava a noi (scolaretti e studiosi, poeti e lettori, copywriter e consumatori), di inventare, interpretare, misurare e rispettare il susseguirsi degli spazi, l'intercedere del bianco e nero, il respiro sognante o frenetico che entrava e usciva da una lettera, da uno svolazzo, da un capoverso, da una firma.

Nell'immaginario degli italiani, il patetico "Dagli Appennini alle Ande" è diventato un frenetico "Dai polpastrelli alle pupille". Ma in mezzo ci sono stati anche il Futurismo, i Telefoni Bianchi, il Gruppo 63, la televisione, la pubblicità.

Dall'uscita di "Cuore" fino alla campagna "Cuore di Panna" è passato un secolo tondo tondo. Cento anni di moltitudine durante i quali il bianco e nero dei giornali si è tramutato nei 262.000 colori che ci colpiscono oggi dai nostri cellulari.

È stato un secolo che è volato. E così succede che, di punto in bianco, ci capitino cose quotidiane che fino a qualche anno fa, noi umani non potevamo nemmeno lontanamente prevedere e immaginare: mutazioni, cancellazioni, crash, black out, roba di tutti i colori. A furia di correre e di rincorrere i numeri, i record, le formule, la quantità, stiamo perdendo di vista la nostra misteriosa capacità di individuare le Vie dei Canti e di riconoscere le nostre stesse impronte.

Penso alle tracce lasciate sul nostro cammino della vita, ma anche a quelle digitali (non quel-
le zero-uno, ovviamente solo quelle generate dalle nostre mani). La memoria storica non è nostalgia. Mai. Non invito nessun amico, nessun cliente e, men che meno, nessuno studente, a rimpiangere il passato - soprattutto se quel passato appartiene a me. Non importa sapere da chissà dove veniamo o dove andremo. Voler saper guardare (e non solo vedere), ascoltare (e non solo sentire), capire (e non solo imparare) è molto più utile e creativo di qualsiasi filosofico back up. Soprattutto dobbiamo di nuovo imparare a nutrirci con gli occhi. Parola di Lorenzo Marini:

«Per quel coraggioso tre per cento che va in libreria nutro una speciale ammirazione. È un tre per cento che legge il cento per cento. Quel tre per cento cerca di sapere. Di sognare. E dunque di essere libero».

Mi sa che con questo suo pensiero, Lorenzo Marini si trovi in ottima compagnia. Il grande Jorge L. Borges si esprimeva così: «Io non sono orgoglioso dei libri che ho scritto, sono orgoglioso dei libri che ho letto». E pensare che questo grande creatore di immagini verbali e di immaginazione, con gli eufemismi infidi dei nostri giorni, oggi verrebbe descritto come non vedente.

Non è un caso che il carattere Braille consiste di tanti punti, tutti perfettamente tangibili e visibili, "visibili", grazie a un colore che, in fin dei conti, è l'energia primordiale che ha generato la vita. Parlo del visual più magico, più fertile, più potente.

Parlo della purezza del bianco, pensa te.

Lode dell'inessenziale.
di Marco Barbieri

L'essenziale è invisibile agli occhi: come in tutti gli aforismi, la parte di verità contenuta nelle parole del Piccolo Principe finisce per abbagliare e quindi oscurare tutto il resto. Che non è detto sia meno vero. Supponendo che alla vista spetti il compito di guardare l'inessenziale, dovremmo pur ammettere che proprio lì inizia il piacere. E l'avventura della conoscenza. Senza scomodare l'albero dell'Eden dobbiamo considerare che la nostra vicenda, storica e personale, è sempre inestricabilmente avvolta nell'inessenziale, che non è affatto superfluo.

Nel caso di Lorenzo Marini il rigoroso e divertito esercizio sul "visibile" si abbina a una non meno seria e giocosa applicazione sulla parola. Inessenziale anche quella, volendo vedere, perché ancorata alla maledizione del significato: come ricordava Stravinskij solo alla musica tocca l'orgogliosa difesa di un'arte asemantica.

Delimitato il campo di gioco - angustia che ci fa soffrire, ma che ci consente la sfida, non solo con noi stessi - eccoci alla partita decennale che Marini ha riassunto in queste pagine. I giocatori giocano per giocare, i campioni pretendono di vincere.
E queste sono immagini di successi, sia quando ci propongono le metodiche, sia quando ci svelano le performance; repertorio e creazione si inseguono, nutrendosi. In continua trasformazione. In costante movimento.
Non c'è immagine senza movimento.
Non riusciremmo nemmeno a percepire l'ingannevole fissità di un fotogramma, di un poster, di uno scatto, se gli occhi non si muovessero per noi: le saccadi ci salvano dal vuoto vero, organizzandoci un finto "pieno" di emozioni.

La vista è questo invadente apparato di senso che ci offusca l'essenziale; ma rivestendolo di inessenziali particolari ce lo preserva, ce lo incarta, ce lo conserva, per quando saremo in grado di fissarlo senza più il timore di non vedere nulla.
Nell'attesa di quell'allora, siamo qui e adesso.
A inseguire i reticoli di Mondrian, o a dondolarci nei ricci di Manara; a sfidare l'inquieta perfezione di Borromini, o a stupirci di uno scarabocchio anonimo con una biro rossa; ad assistere al cimento del graphic design o alla creazione di un arredamento per interni.

Guidati in "un'indagine per trovare un rapporto privilegiato con l'immaginario. Non quello collettivo, quello lo lasciamo alla sociologia dell'advertising, ma quello personale, individuale, unicamente nostro".

Che cosa saremmo senza il nostro "immaginario"? Certo, non si tratta solo di immagini "visuali", ma di memorie sinestetiche: d'altronde molto spesso è l'occhio che diventa il regista dei nostri ricordi sensoriali. Ma il "nostro" immaginario ha un bisogno fisiologico di nutrirsi, per non appassire; ha bisogno di crescere per non diminuire. Vittima dell'entropia del mondo, il nostro immaginario deve creare per non soccombere e nulla è più creativo dell'invenzione, nel senso della sua etimologia: ritrovamento, scoperta e riscoperta. Con i "visual" di Marini accettiamo volentieri di diventare pesciolini all'amo: un buon nutrimento giustifica una felice morte, unica via per tornare a riposare nell'essenziale.

 Valtur "Ballo"

 Bahlsen " Chocofriend"

Fila corporate

MILLENOVECENTONOVANTOTTO

È il primo giorno di primavera, il ventun marzo. Apre una nuova agenzia di pubblicità. Da oggi, direbbe un mio caro amico copywriter, c'è una sigla in più che i clienti possono scegliere. Oppure molte altre in meno.

Ecco, è il primo giorno di lavoro in un'agenzia nata veloce, come lo sono le intuizioni.

Nata da un invito di un cliente. "Ma lei, Signor Marini, viene qui e fa il new business, fa il creativo e fa anche il regista. Perché non fa anche la fattura?". È Enrico Frashey, amministratore delegato della Fila Worldwide.

Rispondo: "Se lo faccio, lei mi segue, dottor Frashey?".

"Certamente, Marini. Mi fido di lei".

Dal 20 febbraio al 21 marzo passano solo una manciata di settimane. Il tempo giusto di decidere tre cose: un posizionamento, una missione, uno stile. Lo stesso che ci viene riconosciuto oggi, dieci anni dopo.

Un'agenzia creativa, perché è quella che il mercato italiano richiede.

Un'agenzia snella, perché è quello che le altre non sono. Un'agenzia indipendente e nazionale, perché tutti i nomi delle sigle di adesso o sono straniere o hanno il nome di un morto.

Un'agenzia a numero chiuso, perché è così che funziona la prima classe. Un'agenzia destrutturata, perché è la burocrazia e l'eccesso di rigore il virus che sta ammazzando molte buone agenzie.

Un'agenzia unica, perché ogni prodotto lo è - o dovrebbe esserlo - per il consumatore.

Ecco, così. Partiamo in cinque persone appena. Con il budget Fila per tutta l'Europa, seguito dall'intimo Garda, dalle prugne di Noberasco e dal marchio di abbigliamento BestCompany.

Assieme a Daniele Pelissero, direttore servizio clienti e associato fin dagli inizi, arriva il budget BBurago, un annuncio ogni trimestre, uno per ogni nuovo modello. Il posizionamento della marca sarà il sogno giocattolo che divenuta collezione. Ogni prodotto sarà una scusa per appartenere al club degli adulti bambini. I visual devono essere sempre come i loro destinatari li sognano.

Entro la fine dell'anno arriva anche il budget di Ciesse Piumini. Moda porta moda, fashion chiama fascino.

The first day of spring, 21 March. A new advertising agency opened. From that day, as a dear friend of mine, a copywriter, would say, clients would have a new choice. In fact, it would be the only choice. The first day of work in an agency that saw the light very quickly, in a way analogous to a flash of inspiration. It was the result of a suggestion by a client. "But, signor Marini, you are here, developing new business, you are a creative designer and also a director. Why don't you send us an invoice?" That was Enrico Frashey, managing director of Fila Worldwide. I answered: "If I set it up, would you use it, Dr. Frashey?". "Of course, Marini. You have my complete trust". Only a few weeks passed, from that 20 February to 21 March. The time necessary to decide three things: positioning, mission, style. The things that we are still recognized for today, ten years on. A creative agency, because that is what the Italian market wants. A streamlined agency, because that is what the others are not. An independent, nationwide agency, because all the agency abbreviations today are either foreign or stand for someone who is now dead. An agency for a limited number of clients, because that is how top-class agencies work. A destructured agency, because bureaucracy and excessive discipline seem to be the virus that is killing many good agencies. A unique agency, because every product is unique – or should be – for the consumer.

That was how we did it. At the start there were just five of us. With the Fila budget for the whole of Europe. Followed by Garda lingerie, Noberasco prunes, and the fashion brand BestCompany. Along with Daniele Pelissero, client services manager and an associate from the start, came the BBurago account, an advert every three months, one for each new model. The brand's positioning would be that of the dream toy that becomes part of a collection. Every product would provide the reason to belong to a club of adults who have something of the child in them. Visuals have to correspond to the way that the people to whom they are directed dream about them. The visual is in front of them 24 hours a day. Before the end of the year, the CIESSE Piumini account arrived. Fashion attracts more fashion, and more fascination.

[*Alberto Tomba. Fila all'ennesima potenza.*]

Un solo nome riesce a stare davanti ad Alberto quando scende fra i pali: quello di Fila. Perché Fila veste Tomba durante ogni allenamento, ogni gara, ogni vittoria. Dividendo con lui passioni ed esperienze, Fila ha realizzato una linea per lo sci fatta con materiali unici. Come lo speciale tessuto a navetta composto all'esterno da una tela finissima in poliestere idrorepellente, e spalmato all'interno con poliuretano microporoso. Per garantire impermeabilità, resistenza e traspirabilità.
Fila: fornitore ufficiale della F.I.S.I. e di chi ha una grande passione per lo sci.

FILA
Change the game.

Cliente	Fila
Creative Director	Lorenzo Marini
Art Director	Francesco Degano
Copywriter	Marco Ribolla
Fotografo	Renè Ghilini
Headline	Alberto Tomba. Fila to the max.

Cliente	Fila
Art Director	Lorenzo Marini
Copywriter	Pino Pilla
Fotografo	Fila Archive
Headline	Tenacity by Mark Philippoussis.
	Everything else by Fila.

Viva la prugna.

noberasco

La differenza?
90 anni di esperienza.

Noberasco. Basta la parola.

noberasco

La differenza?
90 anni di esperienza.

Cliente	Noberasco
Art Director	Lorenzo Marini
Copywriter	Pino Pilla
Fotografo	Ambrogio Gualdoni
Headline	Vive le pruneau.
	Noberasco. All you need is the name.

INTIMO GARDA.
INDOSSARLO E' PIU' BELLO
CHE MOSTRARLO.

GARDA
INTIM

Cliente	Garda
Art Director	Lorenzo Marini
Copywriter	Pino Pilla
Fotografo	Nancy Fina
Headline	Garda Underwear.
	Wearing it si better than showing it.

Cliente   Best Company
Art Director   Lorenzo Marini
Copywriter   Marco Ribolla
Fotografo   Ambrogio Gualdoni

Think small.

"Pensate in piccolo", dice questa famosa pagina pubblicitaria Volkswagen degli anni '60 che abbiamo riprodotto tale e quale.
Unica differenza la firma: che questa volta è BBurago.
L'invito a pensare in piccolo vale infatti anche oggi per tutti i nostri automodelli, compresi, naturalmente, quelli Volkswagen.

La perfezione abita spesso nelle piccole cose. Date un'occhiata a questa BBurago.
Guardate i suoi interni così perfetti in ogni particolare.
Provate ad aprire il cofano anteriore, guardate: c'è anche la ruota di scorta.
Avete osservato il tappo del serbatoio?
E nel lunotto posteriore, avete notato la valigia?

A proposito di dettagli, date un'occhiata a quel "piccolo" dettaglio che è il prezzo.
In una BBurago nulla è sbagliato, ma se proprio volete trovare nelle nostre macchine qualcosa di eccessivo, vi aiutiamo: è la qualità. **Volkswagen Käfer-Beetle (1995) Scala 1:18.**

"LA TIENI IN BOX?"

"NO: SUL CAMINETTO".

MASERATI 3200 GT SCALA 1/18.

BBurago.
Specialità italiane
nel mondo.

Wolkswagen New Beetle scala 1:18

Cliente	BBurago
Art Director	Lorenzo Marini
Copywriter	Pino Pilla
Fotografo	Ambrogio Gualdoni
Headline	Do you keep In the garage? No: on the mantelpiece.

CIESSERE LA NATURA.

CIESSERE ALL'ALTEZZA.

CIESSERE SOLI. OGNI TANTO.

Cliente	Ciesse	
Art Director	Lorenzo Marini	
Copywriter	Pino Pilla	
Fotografo	Jazek Soltan	

Headline
Being at one with nature.

Being up to the challenge.

Being alone. Now and again.

Motorbykes look all the same.   Don't they?

Benelli

Cliente   Benelli
Art Director   Lorenzo Marini
Copywriter   Pino Pilla
Fotografo   Riccardo Cameli

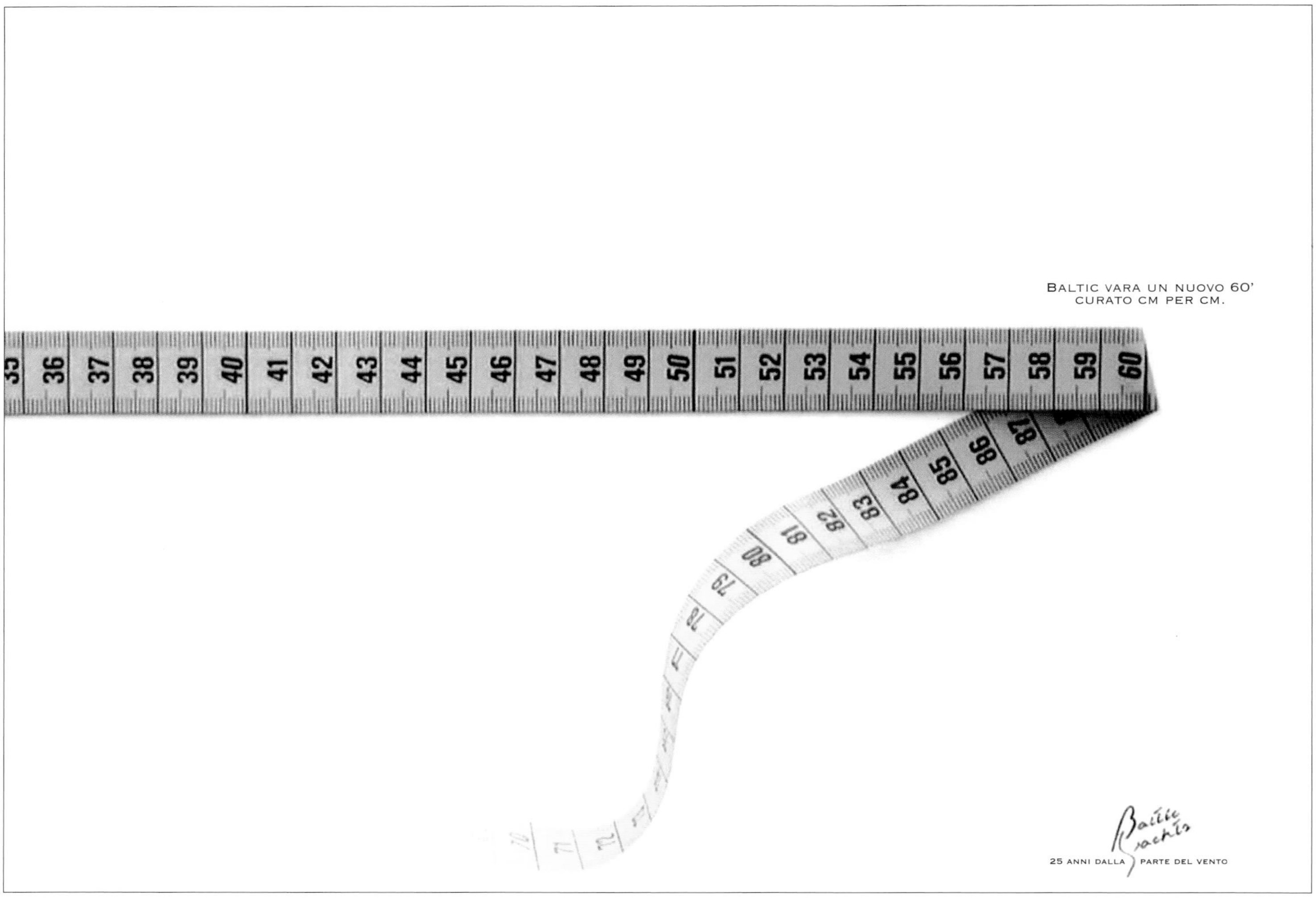

BALTIC VARA UN NUOVO 60'
CURATO CM PER CM.

25 ANNI DALLA PARTE DEL VENTO

Cliente   Baltic
Art Director   Lorenzo Marini
Copywriter   Pino Pilla
Fotografo   Ambrogio Gualdoni

Headline
Baltic launches a new 60-footer. Crafted in every centimetre.

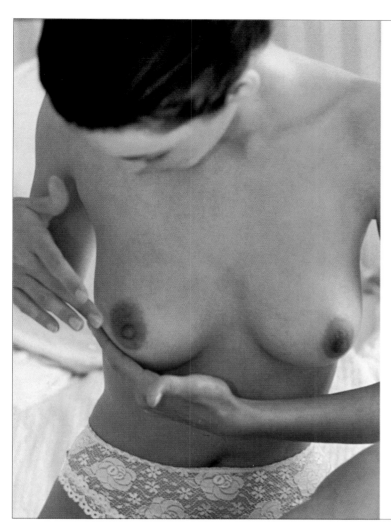

Questa è vita.

Attivecomeprima sa che dentro ogni donna che si ammala di cancro al seno c'è una donna capace di tornare a vivere pienamente. Da venticinque anni Attivecomeprima è accoglienza, pensiero e lavoro, che diventano speranza ed energia. Per mettere la voglia di vivere al posto della paura di morire.

ATTIVECOMEPRIMA

via Livigno, 3 20158 Milano. tel. 02/6889647

Cliente	Attivecomeprima
Art Director	Lorenzo Marini
Copywriter	Pino Pilla
Fotografo	Lorenzo Mancini
Headline	This is life.(against breast cancer)

Valtur "Nave"

Valtur "Tatuaggio"

Rifle jeans

Fujifilm "Fuga"

Ron clip

ESATTAMENTE UN ANNO DOPO l'organico raddoppia, dieci persone tra creativi e account. Più o meno la dimensione desiderata. Esattamente un anno dopo siamo invitati ad una gara molto importante, contro tutte le più grandi agenzie di pubblicità, per il cliente Valtur. Rimaniamo in finale noi e Saatchi. L'amministratore delegato Maria Concetta Patti sceglie noi. Ringraziamo con un lavoro che rivoluziona codici del settore e disorienta la concorrenza: "Per favore, non chiamatelo Villaggio". Con Fila si passa alla televisione e al cinema di mezza Europa, mentre arriva il cantiere nautico Baltic, l'associazione AttiveComePrima, l'Ente Turistico di Mauritius e l'anticellulite Lipofactor per i francesi di Sanofi. Visual che sono attimi. Per Sanofi ritratti di donna life-style anziché di sculture irraggiungibili, scatti di momenti rubati che celebrano non più uno stato fisico ma uno stato della mente. L'anticellulite diventa in una sola stagione il secondo prodotto più venduto del mercato dopo Vichy e ci porterà l'anno successivo il nuovo incarico per l'antirughe Stimulogic. I visual diventano così, come la loro marca. Emotivi per Sanofi, energetici per Fila, ironici per BBurago, eleganti per Baltic, immediati per Attive, provocatori per Garda. È il secondo anno, quello che ti afferma nel mercato. Accettati o respinti, vincitori o perdenti, che in pubblicità non esiste il pareggio. Festeggiamo i nuovi arrivi con naturalezza. L'aggressività non è mai stata il nostro forte. Preferiamo la pacatezza del silenzio e l'eleganza dei risultati. Non abbiamo la sede di New York o Londra da asservire alla spasmodica ricerca del tasso di crescita richiesto. Siamo solo degli artigiani, dei piccoli poeti al servizio della mercanzia. Chi vuole salire sul nostro piccolo vascello è il benvenuto: chi preferisce la tranquilla pesantezza del transatlantico, si accomodi pure altrove. Accettano un viaggio bellissimo i jeans Rifle, con uno spot che farà parlare mezza Italia: due vecchi al cimitero si innamorano l'uno dell'altra. E la marca Rifle li accompagnerà in questa scelta anticonvenzionale. Per parlare ai giovani non è necessario usare i giovani. Il visual volutamente sceglie il suo contrario. Fila sceglie Ivan Bartosh alla regia e rallenta ogni pensiero degli atleti prima della competizione. Il gruppo Fondiaria invita cinque agenzie per l'assegnazione dell'incarico di rilancio dei suoi marchi e dopo essere stati scelti per lo spot Tv ci vengono chieste due campagne stampa multisoggetto. Il visual diventa side-by-side, lo stile competitivo, il carattere unico. BBurago sceglie il tema istituzionale contrapponendo l'automodello alla donna oggetto. Benelli invita tre agenzie per rilanciare il proprio marchio e la fortuna aiuta ancora i più piccoli. Pecore motorini contro un unico Pepe Benelli: sembra lo specchio del mercato. I simili evidentemente si attraggono, che l'unica via possibile è la personalità differente. Fila lancia in tutto il mondo le scarpe Tornado entrando anche nel calcio e il copywriter più bravo d'Italia, Pino Pilla, ha un colpo di genio. Per un paio di scarpe suggerisce di usare come visual solo quella sinistra. "C'è solo una scarpa come questa. La destra." Finiamo l'anno con l'arrivo di Natuzzi, per il marchio Italsofa. Da una parte tutti i divani di alta gamma ma molto costosi, dall'altra quelli low price ma molto basici. Italsofa occupa proprio il centro di questi estremi, in tutto il mondo. Visual come note, che i registratori di cassa sono musica

the staff had doubled, ten people, with creative directors and account executives. More or less the dimensions planned. Exactly a year later, we were invited to take part in an important competition, running against all the largest advertising agencies, for the client Valtur. In the end, there were just us and Saatchi. The managing director Maria Concetta Patti chose us. We demonstrated our gratitude with a campaign that revolutionized the canons of the sector and threw the competition into disarray. "Please, don't call it a Tourist Village". The Fila account brought us to television and the cinemas of half of Europe. New accounts were the Baltic boatbuilders, the AttiveComePrima association, the Mauritius tourist board, and the anti-cellulite Lipofactor for the French clients at Sanofi. Visuals in the form of moments. Life-style portraits of women, not unattainable sculptures, intimate shots that celebrate not a physical condition, but a state of mind. In just one season, Sanofi's anti-cellulite would become the product with the second highest sales on the market, after Vichy, and the year after, it brought us the new commission for the anti-wrinkle product Stimulogic. Visuals thus take on the characteristics of their brand. Emotive for Sanofi, energetic for Fila, ironic for BBurago, sophisticated for Baltic, spontaneous for AttiveComePrima and provocative for Garda. This was the second year, the year that consolidates your position on the market. Accepted or rejected, winners or losers, because in advertising a draw does not exist. We celebrated the new accounts with unaffected joy. Aggression has never been part of our style. We prefer discreet silence and the elegance of results. We do not have offices in New York or London to fuel the desperate quest to attain growth targets. We are just craftsmen, minor poets at the service of merchandise. Those who wish to join us on our little ship are welcome: those who prefer the pedantic calm of a transatlantic liner should go elsewhere. Rifle jeans accepted the idea of a wonderful journey with us, and the result was a commercial that set people talking all over Italy: two old people fall in love in a cemetery. And their unconventional decision is accompanied by the Rifle brand. It is not always necessary to feature young people when the target consists of young people. For that visual, the exact opposite was true. From a visual featuring a location, we moved on to a visual featuring time. Fila chose Ivan Bartosh as director, and slowed down the thoughts of the athletes before a race. For Fila, the result is just a consequence, what is really important happens before. For Fila, the feel is that of that momentous instant. The Fondiaria group invited five agencies to work on the task of relaunching its brands, and we were chosen for a number of visuals with different subjects. The style of the adverts was competitive, but their character was unique. BBurago chose the institutional theme, contrasting the model car with the woman as an object. Benelli invited three agencies for the relaunch of its brand, and once again destiny smiled on the smallest. Moped-sheep against Pepe Benelli alone: it seemed like a reflection of the market. Like attracts like, the only way out is a different personality. In November, we received a new mission, the launch of Fila Tornado sports footwear all over the world, entering the arena of football. The greatest copywriter in Italy, Pino Pilla, had a stroke of genius. For a pair of shoes, he suggested using just one, the left. "There is only one other like it. The right one." In this case the visual consists of the words. We ended the year with the arrival of the Natuzzi account for the Italsofa brand. On one hand there are all the top-range settees, all very expensive, and on the other, the low price settees that are very basic. Italsofa is right at the centre, between these two extremes. Visuals like notes, and cash registers become music.

CORRENTI BALTICHE SEGNALATE NEL TIRRENO.

1973-1998.

BALTIC, 25 ANNI DALLA PARTE DEL VENTO.

Cliente	Baltic
Creative Director	Lorenzo Marini
Art Director	Arianna Conti
Copywriter	Pino Pilla
Fotografo	Ambrogio Gualdoni

Headline
Baltic. Windward for 25 years.

IL VOLO

IL PILOTA

LA COMPAGNIA AEREA

Grant Hill

Fila mod. Grant Hill IV

GRANT HILL È ALTO 3 METRI E MEZZO, FINO A CHE NON ATTERRA. E QUANDO TOCCA IL SUOLO PORTA SOLO SCARPE CON IL SUO NOME. LE NUOVE GRANT HILL IV HANNO UN'INTERSUOLA MONOBLOCCO DI NUOVA CONCEZIONE, STUDIATA PER CONFERIRE IL MASSIMO DELLA STABILITÀ NELLE FASI DI GIOCO. IL RIVOLUZIONARIO FILA 2A SYSTEM ASSORBE I COLPI DOPO OGNI SALTO E RESTITUISCE ENERGIA. LA DISPOSIZIONE DEI LACCI MANTIENE IL PIEDE FERMO NELLA SCARPA ANCHE DURANTE I RAPIDI CAMBI DI DIREZIONE. IL DISEGNO A LISCA DI PESCE DEL BORDO SUOLA GARANTISCE LA MASSIMA TRAZIONE DURANTE GLI SCATTI. NON SONO SCARPE COME TUTTE LE ALTRE. MA ANCHE GRANT HILL NON È UN GIOCATORE COME TUTTI GLI ALTRI.

FILA

Change the game.

PLAYER 1

PLAYER 2

GAME OVER

Fila mod. Philippoussis

Mark Philippoussis

HIS SERVICE TRAVELS AT 231 KPH. BUT PHILIPPOUSSIS DOESN'T JUST HIT THE BALL. HE CRUSHES, OVERWHELMS AND DESTROYS HIS ADVERSARY. AND OFTEN THE BALL AS WELL. IT'S A QUESTION OF STRENGTH AND OF TECHNIQUE. BUT ALSO OF CHOICES. LIKE HIS SHOES, WHICH BEAR THE NAMES OF FILA AND OF PHILIPPOUSSIS. FILA PHILIPPOUSSIS SHOES COMBINE ALL THE TECHNOLOGY OF A LEADING COMPANY AND ALL THE SKILLS OF A GREAT CHAMPION. FILA'S PATENTED 2A SYSTEM ABSORBS IMPACT, GIVES BACK ENERGY AND ENSURES MAXIMUM STABILITY. THE HERRINGBONE DESIGN ON THE EDGE OF THE SOLE GUARANTEES MAXIMUM TRACTION IN FAST BURSTS. THE TOE IS REINFORCED AT THE SIDES AND IN THE CENTRE, WHICH MEANS THE SHOES LAST VIRTUALLY FOR EVER. LIKE FILA'S PASSION FOR TENNIS.

FILA

Change the game.

Headline
The flight. The pilot. The airline.

Cliente	Fila
Creative Directors	Lorenzo Marini
	Pino Pilla
Art Director	Francesco Degano
Copywriter	Marco Ribolla
Fotografo	Nino Mascardi

ESTERNO NEVE.   INTERNO FILA.

ALBERTO TOMBA

Tennis,
Basket,
Ski,
Snowboard,
Running,
Climbing,
Soccer,
Long Jump,
Swimming,
Volley Ball,
Hiking,
Trekking.

Cliente   Fila
Creative Directors   Lorenzo Marini
                         Pino Pilla
Fotografo   Mamone

Headline
Snow outside. Fila inside.

Il difficile è toglierle.

GARDA

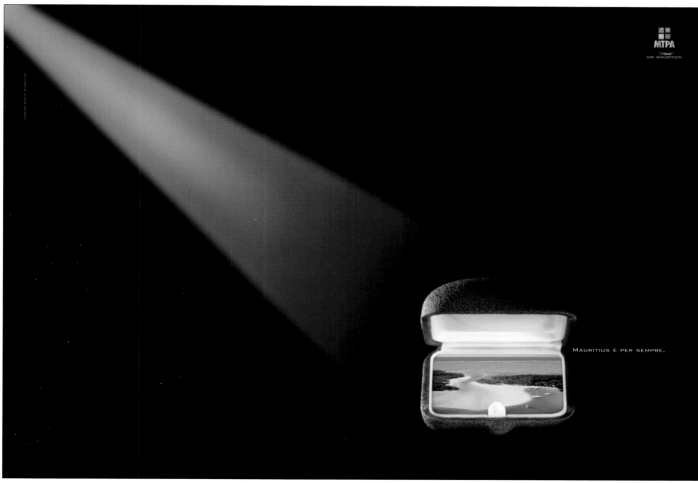

MAURITIUS È PER SEMPRE.

Cliente	Garda
Art Director	Lorenzo Marini
	Arianna Conti
Copywriter	Pino Pilla
Fotografo	Davide Tama
Headline	The hard part is getting them off.

Cliente	Mauritius
Creative Director	Lorenzo Marini
Art Director	Arianna Conti
Copywriter	Elisa Maino
Fotografo	Franco Berra
Headline	Mauritius is forever.

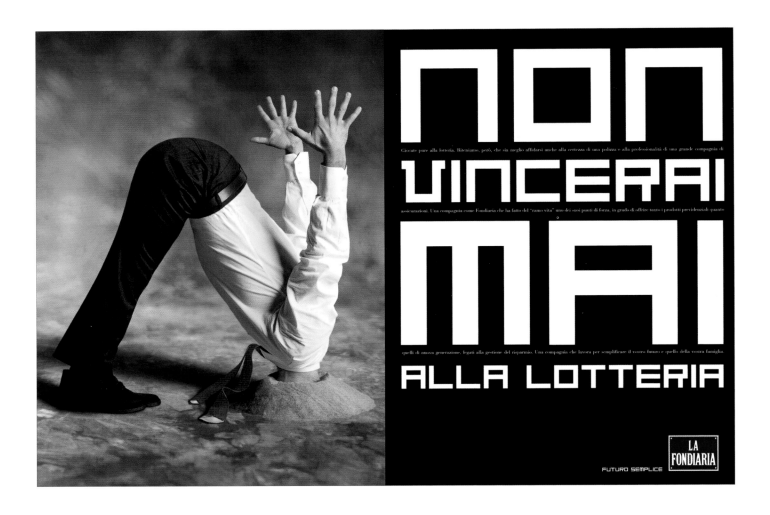

Cliente	La Fondiaria	
Creative Directors	Lorenzo Marini	
	Pino Pilla	
Art Director	Francesco Degano	
Copywriter	Pino Pilla	
Fotografo	Marco Casale/image bank	

Headline

You will never win the lottery.

A Fondiaria broker will never stop at giving you a hand.

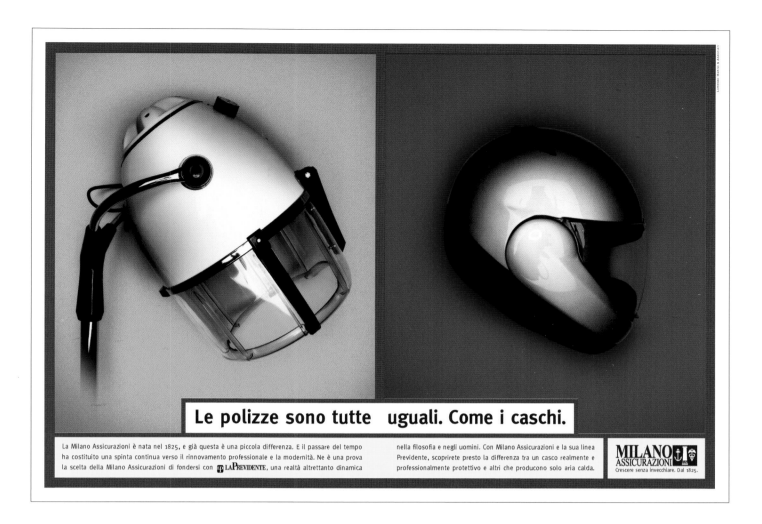

Le polizze sono tutte uguali. Come i caschi.

La Milano Assicurazioni è nata nel 1825, e già questa è una piccola differenza. E il passare del tempo ha costituito una spinta continua verso il rinnovamento professionale e la modernità. Ne è una prova la scelta della Milano Assicurazioni di fondersi con **LA PREVIDENTE**, una realtà altrettanto dinamica nella filosofia e negli uomini. Con Milano Assicurazioni e la sua linea Previdente, scoprirete presto la differenza tra un casco realmente e professionalmente protettivo e altri che producono solo aria calda.

MILANO ASSICURAZIONI
Crescere senza invecchiare. Dal 1825.

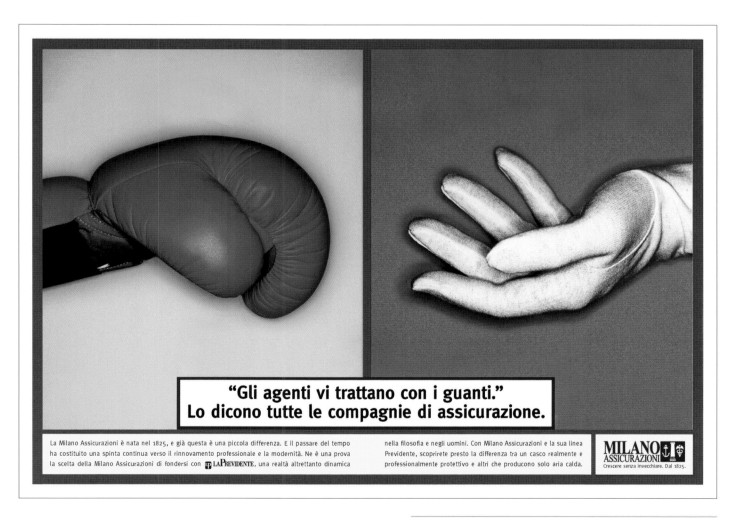

"Gli agenti vi trattano con i guanti."
Lo dicono tutte le compagnie di assicurazione.

La Milano Assicurazioni è nata nel 1825, e già questa è una piccola differenza. E il passare del tempo ha costituito una spinta continua verso il rinnovamento professionale e la modernità. Ne è una prova la scelta della Milano Assicurazioni di fondersi con **LA PREVIDENTE**, una realtà altrettanto dinamica nella filosofia e negli uomini. Con Milano Assicurazioni e la sua linea Previdente, scoprirete presto la differenza tra un casco realmente e professionalmente protettivo e altri che producono solo aria calda.

MILANO ASSICURAZIONI
Crescere senza invecchiare. Dal 1825.

Headline
Policies are all the same. Just like helmets.

Any insurance company will tell you that the police treat you with kid gloves. Well, they do treat you with gloves…

Cliente	Milano Assicurazioni
Creative Directors	Lorenzo Marini
	Pino Pilla
Art Director	Francesco Degano
Copywriter	Pino Pilla
Fotografo	Alessandro Dalla Fontana

Cliente   Valtur
Creative Directors   Lorenzo Marini
                        Pino Pilla
Art Director   Arianna Conti
Copywriter   Pino Pilla

Headline
Please don't call it a resort.

The classic Valtur resort isn't a classic any longer.

L'ESTATE E' LONTANA.
LA CELLULITE E' VICINA.

In farmacia.

Lipo factor
Bio-actifs α/Y
Fluide minceur
sanofi
concept

sanofi
concept

Trattenendo la voglia d'estate, che è tanta, affidatevi intanto ad un prodotto scientificamente avanzato: Lipofactor, con gli esclusivi Bio-actifs α/Y. Testato su più di 1000 donne, Lipofactor è frutto della ricerca Sanofi. Dopo un mese d'uso noterete già i primi risultati. Dopo due, invocherete l'arrivo dell'estate. Lipofactor si applica senza massaggio, tonifica e rassoda la pelle fin dalle prime applicazioni ed attenua l'aspetto a "buccia d'arancia". A sole 43.000 lire.

CREDETE AD UN TEST FATTO
SU CENTO DONNE?
LIPOFACTOR LO HA FATTO
SU MILLE.

In farmacia.

Lipo factor
Bio-actifs α/Y
Fluide minceur
sanofi
concept

sanofi
concept

Lipofactor è un prodotto scientificamente avanzato che contiene gli esclusivi Bio-actifs α/Y. Testato su più di 1000 donne, Lipofactor è frutto della ricerca Sanofi. In un mese perderete almeno un centimetro nelle zone classiche. C'è chi, in due mesi, ne ha persi molti di più. Lipofactor si applica senza massaggio, tonifica e rassoda la pelle fin dalle prime applicazioni ed attenua l'aspetto a "buccia d'arancia". A sole 43.000 lire.

Headline
Summer is a long way off. Cellulite is here now.

Would you trust a clinical test on 100 women?
Lipofactor did it on a thousand.

Cliente   Sanofi
Art Director   Lorenzo Marini
Copywriter   Pino Pilla
Graphic Design   Arianna Conti
Fotografo   Tom Thorimbert

OFTEN BEAUTY MEANS TOO EXPENSIVE.

OFTEN INEXPENSIVE MEANS TOO CHEAP.

ITALSOFA IS A BEAUTIFUL NEW PRODUCT AT A GREAT PRICE. ITALSOFA IS REAL LEATHER, WITH ITALIAN QUALITY AND CRAFTSMANSHIP. ITALSOFA IS A NEW BRAND FROM NATUZZI. ITALSOFA IS A GREAT BUSINESS OPPORTUNITY FROM NATUZZI.

Italsofa

The Italian touch

NATUZZI AMERICAS, INC. 130 WEST COMMERCE AVENUE HIGH POINT, NORTH CAROLINA 27260, TEL. (336) 887 - 8300

Cliente	Natuzzi Italsofa
Art Director	Lorenzo Marini
Copywriter	Pino Pilla
Graphic Design	Enza Morello

THERE'S ONLY ONE OTHER SHOE LIKE THIS.

FILA AIGUILLE

AIGUILLE IS A BOOT WITH SUCH A STIFF SOLE, WHICH BECOMES ONE WITH THE CRAMPONS. AT THE SAME TIME IT IS SO LIGHTWEIGHT, DUE TO THE CARBON FIBER PLATE, LIGHTENING THE STEP. THE DYNEEMA™/STEEL FABRIC UPPER GIVES COMPACTNESS AND STRENGTH. FOR THOSE WHO HAVE AN EYE FOR AESTHETICS, AIGUILLE IS A GOOD-LOOKING, AGGRESSIVE BOOT. IT'S ALSO FOR THIS REASON THAT THERE IS ONLY ONE OTHER SHOE IN THE WORLD LIKE THIS: THE RIGHT ONE.

FILA — Change the game.

THE RIGHT ONE.

THERE'S ONLY ONE OTHER SHOE LIKE THIS.

FILA TORNADO

AND THERE'S NO OTHER MATERIAL LIKE KEVLAR™: KEVLAR™ IS UNIQUE. WHAT'S MORE THERE'S ONLY ONE FOOTBALL SHOE IN THE WORLD THAT'S MADE WITH A KEVLAR™ UPPER: FILA TORNADO. KEVLAR™ IS AN INNOVATIVE, ULTRA-LIGHT MULTIPURPOSE MATERIAL. AND IT'S THANKS TO THE UNIQUE PROPERTIES OF KEVLAR™ THAT FILA TORNADO IS TODAY'S LIGHTEST FOOTBALL SHOE. FILA TORNADO STAYS PERMANENTLY IN SHAPE WITH A TOTAL BALL CONTROL IN EVERY SITUATION: EVEN WHEN THE FIELD AND THE BALL ARE WET. AND OF COURSE FILA TORNADO IS GOOD TO LOOK AT AS WELL. IN FACT THERE'S ONLY ONE OTHER SHOE LIKE THIS: THE RIGHT ONE.

FILA — Change the soccer.

THE RIG HT ONE.

Cliente   Fila
Art Director   Lorenzo Marini
Copywriter   Pino Pilla
Fotografo   Renè Ghilini

Agnesi

Fila "Earth"

Fila "Water"

Fila corporate

DUEMILA

Una marca cambia quando cambia proprietà. La nuova Agnesi è di Colussi e ci invita alla consultazione. Vinciamo, forti forse dell'esperienza e dell'autorevolezza nel precedente e pluripremiato "Silenzio, parla Agnesi".
I visual sono le forchette che cadono dalla finestra, che la pasta Agnesi si mangia senza posate e senza piatto. Sulla schiena di una bellissima creatura. Ma è un successo che dura solo un anno. Noi siamo sinceri e non sempre i clienti sono abituati alla trasparenza. Il lusso e l'esclusività nel food hanno le proprie regole: dilettanti, per favore astenersi. Abraham Lincoln diceva "Si può piacere qualche volta a tutti e si può piacere sempre a qualcuno. Ma non si può piacere sempre a tutti."
Dopo Agnesi arriva il marchio del futuro, della velocità e delle fibre ottiche: Fastweb. Dal redesign del logotipo alla campagna quotidiana istituzionale si vendono promesse. E' il boom della new economy e E.Biscom, la società a cui fa capo Fastweb, in soli due giorni capitalizza cifre da capogiro in una borsa euforica che sembra non fermarsi più.
In breve Fastweb conquista le città di Milano, Roma, Bologna, Torino e Firenze. Connette Internet, video e telefonia e noi connettiamo tutto questo con il pomodoro, la mozzarella e il pane che diventano pizza. E l'anno dopo, grazie al tratto pittorico e sensuale di Milo Manara, il marchio diventa donna, icona, messaggio.
Nelle Tv di tutta Europa, Fila diventa visual d'acqua, d'aria e di terra raccontando gli elementi prima ancora che gli sport, le discipline prima ancora

delle scarpe. Katrine Bigelow (Strange Days e Point Break) sarà la cifra stilistica del cinema d'autore.
Siamo l'agenzia della famiglia, della buona famiglia. Da Imperia arriva Carli, un nome che è garanzia di qualità e certezza di tradizione. Con Lucio Carli l'innovazione permanente sulla linea cosmetica Mediterranea. Dal logo al packaging, dall'annuncio al catalogo. Un visual che è promessa e reason why assieme: una donna albero, una scultura e un ulivo, una commistione surreale per un posizionamento che è DNA aziendale e unicità di promessa: tutto a base di estratto di ulivo.
Ma siamo anche l'agenzia che risolve il problema del Ministero della Sanità, insoddisfatto dei risultati delle precedenti campagne contro l'AIDS. I due terzi del contagio HIV avvengono tra i 16 e i 22 anni: perché si continua nel messaggio generalista? Il ministro Rosy Bindi capisce e accetta una comunicazione specializzata, un linguaggio settorializzato. Il visual è colorato come MTV e animato come la vita di un adolescente. Il tone of voice è amichevole e non paterno, il copy vagamente ironico e non solo informativo.
AIDS diventa solo un acronimo: Abbiamo Intenzione Di Sconfiggerlo. La minaccia diventa un grido di guerra. Si diceva, l'agenzia di famiglia. Per la famiglia Campanile il marchio Brian Cress, per la famiglia Garda il marchio Ginni, per la famiglia Patti il marchio di vacanza Open Club Valtur, per la famiglia Merloni, il lancio di Adiva Benelli, per la famiglia Bernabei il mega evento su RaiUno, Jesus, per la famiglia Besana i nuovi modellini BBurago scala 1:43.

A brand changes when there is a change of ownership. The new Agnesi belonged to Colussi, and we were invited to compete for the account. We won, perhaps because of the experience attained with, and the authoritative position of, the preceding "Quiet, Agnesi is speaking" which won many awards. The visual consisted of forks falling from the window, because Agnesi pasta can be eaten without cutlery or plates. Simply placed on the back of a beautiful creature. But this success lasted just a year. Luxury in food has its own rules: amateurs are advised to steer clear. Abraham Lincoln said, "You can please all people some of the time, and some people all the time, but you cannot please all the people all the time."

After Agnesi, the brand of the future arrived, the brand of speed and optic fibre: Fastweb. From the redesign of the logo to the daily institutional campaign, selling promises. This was the boom of the new economy, and in just two days, E.Biscom, the company owning Fastweb, saw its market capitalization soar. Fastweb quickly conquered the cities of Milan, Rome, Bologna, Turin and Florence. It provided Internet, video and telephony connections, and we connected all this to the brand, which became a woman, an icon, a message. With the pictorial, sensual touch of Milo Manara, the visual acquired the characteristics of a drawing, a design, a thought. Likewise, on TV all over Europe, Fila became a visual of water, air and earth, narrating the elements even before the sports, and the sports even before the shoes. Kathryn Bigelow

(Strange Days and Point Break) provided the narrative structure of prestige cinema.

Ours is an agency for the family, the best families. From Imperia arrived Carli, a name that is a guarantee of quality and sure tradition. We ensured it continuous innovation for the Mediterranea range of cosmetics. Logo, packaging, advertisements, catalogue. A visual that is both a promise and the reason why: a tree-woman, a sculpture and an olive, a surreal combination for a positioning comprising the company's genetic make-up and its unique promise: everything based on olive leaf extract.

We were also the agency that solved a problem for the Ministry of Health, dissatisfied by the results of preceding campaigns against AIDS. Two-thirds of HIV infections occur between the ages of 16 and 22: what is the point in talking to everyone? The minister Rosy Bindi understood, and accepted a specialized style of communication, in a language targeting a specific sector. The visual was as colourful as MTV and as lively as an adolescent's lifestyle. The tone of voice was friendly, not paternal, and the copy was vaguely ironic, not just informative. AIDS became an acronym: Abbiamo Intenzione Di Sconfiggerlo (We intend to defeat it). A threat became a battle cry.

I mentioned the family agency. For the Campanile family, the Brian Cress brand, for the Garda family the Ginnin brand, for the Patti family the Open Club Valtur holiday brand, for the Merloni family the launch of Adiva Benelli, for the Bernabei family a super-show on the RaiUno TV channel, Jesus. Thirteen million Italians were a superb visual.

I lace

up my

shoes.

Now nothing

can

stop me.

Pro Magna 2A.
A padded leather shoe
which protects your
foot and ankle.
Made by Fila.
The 2A System, inside
the intersole guarantees
power and stability.
The sole that will
follow you on any type
of tennis court.
The sole that allows
you to follow in the
footsteps of Philippoussis.

FILA
Change the game.

Every step
drives me
forward.
And brings
the horizon
closer.

Pro Stabile. The shoe
that gives you confidence,
stability and freedom.
Feel the increased support
and power of the 2A System,
inside the intersole.
It gives you suppleness
and comfort to the forefoot.
This is the shoe that has won
the New York marathon twice.
Under the eyes of the world.
On the feet of German Silva.

FILA
Change the game.

Cliente	Fila
Art Director	Lorenzo Marini
Copywriter	Pino Pilla
Fotografo	Fila Archive

Telefono   *Internet*   *Video*   *FastWeb*

Parte da Milano, guardando al mondo, quella che è ormai un'autentica rivoluzione della comunicazione contemporanea. Stiamo infatti realizzando un'innervatura capillare del territorio con la fibra ottica, nella quale lavorano insieme, con risultati di velocità e funzionalità finora sconosciuti, telefonia, Internet e video. Per dare vita, con l'introduzione della tecnologia IP alla seconda generazione di Internet: l'Internet Video, dove il testo e le immagini fisse evolvono in immagini in movimento di altissima qualità. FastWeb è oggi il più potente mezzo di circolazione e di scambio in tempo reale del pensiero umano. In un'epoca, come la nostra, in cui chi non è in anticipo è già in ritardo.

FAST**J**EB

www.fastweb.it

FastWeb. Segno dei tempi.

Parte da Milano, guardando al mondo, quella che è ormai un'autentica rivoluzione della comunicazione contemporanea. Stiamo infatti realizzando un'innervatura capillare del territorio con la fibra ottica, nella quale lavorano insieme, con risultati di velocità e funzionalità finora sconosciuti, telefonia, Internet e video. Per dare vita, con l'introduzione della tecnologia IP alla seconda generazione di Internet: l'Internet Video, dove il testo e le immagini fisse evolvono in immagini in movimento di altissima qualità. FastWeb è oggi il più potente mezzo di circolazione e di scambio in tempo reale del pensiero umano. In un'epoca, come la nostra, in cui chi non è in anticipo è già in ritardo.

FAST**J**EB

www.fastweb.it

Headline

Fastweb. Sign of the times.

Cliente	Fastweb
Creative Directors	Lorenzo Marini
	Pino Pilla
Art Director	Francesco Degano
Copywriter	Pino Pilla
Fotografo	Nino Mascardi

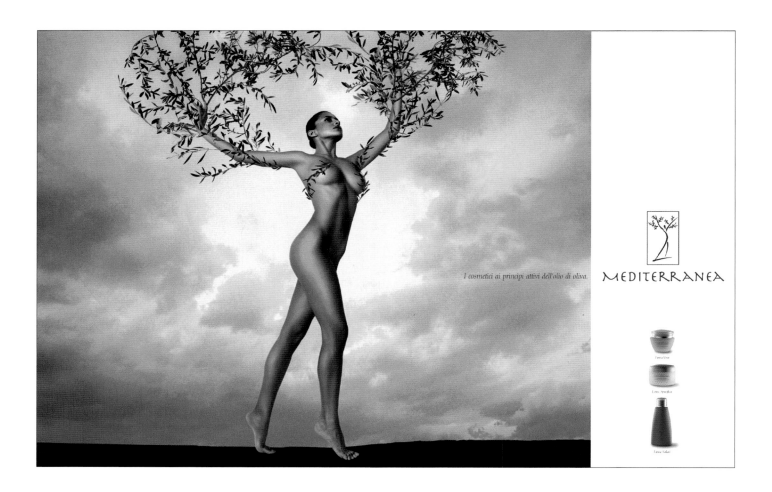

I cosmetici ai principi attivi dell'olio di oliva.

MEDITERRANEA

Cliente   Carli - Mediterranea
Art Director   Lorenzo Marini
Copywriter   Pino Pilla
Fotografo   Patrizio di Rienzo

Headline
The cosmetic line with olive oil priciples.

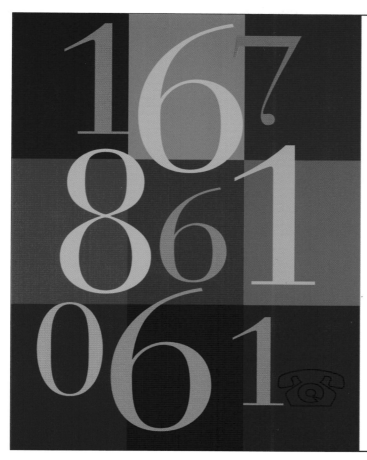

167-861061
L'AIDS
PER TELEFONO
NON SI PRENDE.
ANZI
SI IMPARA AD
EVITARLO.

CENTRO OPERATIVO AIDS

I numeri verdi oggi sono molti, moltissimi. Questo comunque è prezioso: 167-861061. Conservalo con cura. Per te. Per tutti quelli che si rivolgeranno a te. O ai quali vorrai rivolgerti tu. Per dargli un aiuto, per dargli informazioni, per dargli una mano contro l'AIDS, dagli un telefono: 167-861061.

AIDS. ABBIAMO INTENZIONE DI SCONFIGGERLO.

AIDS.
ECCO
UNA
GUARDIA
DEL CORPO.

CENTRO OPERATIVO AIDS

Fai l'amore per amore, conosci il tuo partner. Il preservativo è, nei riguardi dell'AIDS, come una guardia del corpo, usalo sempre nei rapporti occasionali. Per sapere proprio tutto sull'AIDS, c'è un prezioso telefono: 167-861061.

AIDS. ABBIAMO INTENZIONE DI SCONFIGGERLO.

Headline
You can't get AIDS on the telephone.
But you can learn how to prevent it.

AIDS. Here's your bodyguard.

Cliente Ministero della Sanità
Creative Directors Lorenzo Marini
Pino Pilla
Graphic Design Arianna Conti

Cliente	Campanile
Art Director	Lorenzo Marini
Copywriter	Lorenzo Marini
Fotografo	Ambrogio Gualdoni
Headline	Men don't collect only butterflies.

Cliente	Agnesi
Art Director	Lorenzo Marini
Copywriter	Pino Pilla
Fotografo	Fulvio Maiani
Headline	Where there's Agnesi, there's Agnesi.

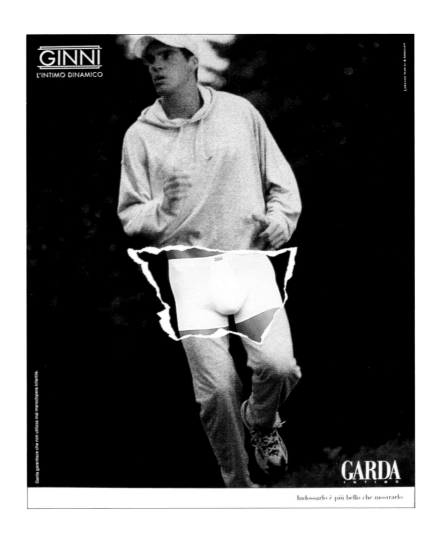

Cliente	Garda
Creative Directors	Lorenzo Marini
	Pino Pilla
Art Director	Francesco Degano
Copywriter	Elisa Maino
Headline	Dynamic underwear.

NEGLI
OPEN CLUB,
IL VERO
ANIMATORE
SEI TU.

INTANTO HAI SCELTO
OPEN CLUB, CHE È UNA SCELTA
DAVVERO MOLTO TUA.
ADESSO STA A TE FARE TUTTO
QUELLO CHE VUOI:
PUÒ ESSERE TANTO OPPURE POCO,
INTENSO O NEL PIÙ TOTALE RELAX,
IN GRUPPO O INSIEME A TE,
PER SCOPRIRE TUTTI I SEGRETI
DI UNA VACANZA CHE È UN'ALTRA
COSA, RICHIEDI ALLA TUA AGENZIA
DI VIAGGI IL NUOVO
CATALOGO OPEN CLUB.

•PLAYA TAMBOR, COSTA RICA • CAYO COCO, CUBA • HISPANIOLA, REPUBBLICA DOMINICANA • MAYA BEACH, MESSICO • KITZBÜHEL, AUSTRIA   È UN'ALTRA COSA.

OPEN CLUB,
LA VACANZA
È TUA E
TE LA
GESTISCI TU.

INTANTO HAI SCELTO
OPEN CLUB, CHE È UNA SCELTA
DAVVERO MOLTO TUA.
ADESSO STA A TE FARE TUTTO
QUELLO CHE VUOI:
PUÒ ESSERE TANTO OPPURE POCO,
INTENSO O NEL PIÙ TOTALE RELAX,
IN GRUPPO O INSIEME A TE,
PER SCOPRIRE TUTTI I SEGRETI
DI UNA VACANZA CHE È UN'ALTRA
COSA, RICHIEDI ALLA TUA AGENZIA
DI VIAGGI IL NUOVO
CATALOGO OPEN CLUB.

• PLAYA TAMBOR, COSTA RICA • CAYO COCO, CUBA • HISPANIOLA, REPUBBLICA DOMINICANA • MAYA BEACH, MESSICO • KITZBÜHEL, AUSTRIA   È UN'ALTRA COSA.

Cliente	Valtur	
Art Director	Lorenzo Marini	
Copywriter	Pino Pilla	
Fotografo	Giampaolo Barbieri	

Headline
At Open Club, you're the entertainer.

Open Club. Your holiday, your rules.

Convertibile.

Convertito.

Adiva di Benelli è un'autentica rivoluzione su due ruote. "Convertibile" vuol dire trasformabile:
una volta "convertito" da veicolo con hard-top e bande protettive laterali diventa infatti un agile scooter. Per sapere tutto su questo
innovativo veicolo potete venire a trovarci dal 15 al 20 settembre al Salone del Ciclo e Motociclo, alla fiera di Milano, il padiglione Benelli
è l' 11, lo stand è l'F 30-G 23. Potete anche venirci a trovare nel sito www.benellimoto.com
oppure telefonare al Pronto Benelli 0721/40.42.40 o recarvi da un concessionario Benelli che trovate sulle Pagine Gialle.

Adiva

Benelli
Time to change.

Headline
Convertible. Converted.

Cliente	Benelli
Creative Directors	Lorenzo Marini
	Pino Pilla
Art Director	Francesco Degano
Copywriter	Pino Pilla

Un parco oltre il divertimento.

Da Giugno, di fianco all'Aquafan di Riccione.

OLTREMARE
OLTRE IL DIVERTIMENTO

"ANCORA UN POCO E MI VEDRETE..."

JESUS

RAIUNO   12 e 13 dicembre, alle 20.50

Cliente	Oltremare
Creative Directors	Lorenzo Marini
	Pino Pilla
Art Director	Stefania Tedeschi
Copywriter	Elisa Maino
Headline	A park that goes beyond amusement.

Cliente	RAI
Art Director	Lorenzo Marini
Copywriter	Pino Pilla
Fotografo	Archivio LUX
Headline	"A little while, and you will see Me."

Stop collecting women.

Cliente   BBurago
Art Director   Lorenzo Marini
Copywriter   Lorenzo Marini
Fotografo   Davide Tama

Fila "State of mind"

Avis

Fila Tornado

DUEMILAUNO

IL VISUAL COME SFONDO SCENOGRAFICO BIANCO, su cui si staglia il rosso dell'inchiostro. Che sangue. Che è necessità. Problema. Promessa: aiutaci a non interrompere una lettera d'amore.

Il visual come antica pietra su cui sono incisi i dieci comandamenti, fondo mediatico su cui la paro a contrappone l'uccidere al non donare.

Per Avis, una campagna multisoggetto.

Il visual come costruzione architettonica, fatta di persone, come il Private Banking di Unicredit (allora Credito Italiano), fatta di metafore, fatta di biglietti da visita. Un visual che è forza di grup po e leggerezza, precisione e dettaglio, squadra umana e contributo individuale.

Il visual che è un fotografico inno alla libertà, che è parola Va del logo Valtur, due lettere che diven tano headline e sfondo tipografico, concetto e forma, mito e affermazione.

Il visual con ritratto snob sul gommone che è salvataggio della normalità o gioia di vivere dell famiglia attraverso il salto di due delfini raccontati con l'eleganza di Gian Paolo Barbieri.

Il visual che è un marchio dentro un occhio, che è oggetto e soggetto al tempo stesso: mediterra nea lancia la nuova linea cosmetica makeup. Per un nuovo occhio ma anche per una nuova visio ne. Il visual come provocazione, pane al pane, il pane come segno di virilità, prodotto che raccon ta se stesso. Pane nostro che sei nei cieli, il pane è vita, dacci oggi il nostro pane quotidiano, anch se è precotto, come il pane di Bice.

Il visual come allegra metafora, pittura colorata nel mondo freddo dei numeri, illustrazione fresc nel rigido mondo delle banche, per una banca sartoriale come la Cassa di Risparmio di Parma Piacenza.

Il visual che è contesto, scenografia, collocazione esclusiva, dove una scarpa diventa scultura, pre cisa, protetta, difesa. La classica Campanile non è più in un negozio ma in un museo. Prodotto ch diventa manufatto artistico.

Il visual che è supporto esatto di proporzioni, ma per ciò inaspettato. Un visual che tradisce, con trapponendo il titolo: "Realmente Mini" alle dimensioni dell'animale che diventa giocattolo, statu symbol e codice maschile contemporaneamente per BBurago. Un anno che è un percorso seren leggero, inizia il nuovo millennio ed è subito messo alla prova. L'undici settembre segna i calen dari di tutti noi. Portamonete privati e borse pubbliche iniziano il loro calvario. La creatività dev farsi più attenta, furba, sensibile. Il visual del mondo richiede una nuova armonia.

THE VISUAL TOOK THE FORM OF A SCENIC WHITE BACKGROUND contrasting with the red ink. Red for blood. A necessity. A problem. The promise: "Help us not to interrupt a love letter." For blood donors association Avis. A visual in the form of ancient stone on which are carved the ten commandments, the visual image over which the wording compares killing and not giving blood.

The visual as an architectural construction, created by people, as in Unicredito (it was then Credito Italiano) and its Private Banking, made up of metaphors, in the form of business cards. A visual that expressed the strength of a team, lightness, precision and detail, human cooperation and individual contributions.

The visual as a photographic hymn to freedom, in the form of the word "Va" (go) in the Valtur logo. Two letters that become both headline and background, concept and form, legend and consolidated success.

The visual with a portrait of a snob on a dinghy, the rescue of normalcy or a family's joie de vivre expressed by two leaping dolphins, narrated in Gianpaolo Barbieri's elegant style.

The visual that is a brand inside an eye, both object and subject: Mediterranea launches the new range of cosmetic make-up. New eyes and new vision.

The visual as provocation, bread pure and simple, bread expressing virility, the product narrating itself, Our bread who art in heaven, bread is life, give us this day our daily bread, even if it is precooked, like Bice bread.

The visual as an entertaining metaphor, colourful paint in the cold world of numbers, refreshing illustration for the straitjacketed world of banks, for a hand-tailored bank such as the Cassa di Risparmio di Parma e Piacenza. The visual in the form of context, scene, an exclusive location, where a shoe can become a sculpture, precise, protected, defended. The Campanile classic is no longer in a shop, but in a museum. A product that becomes an artwork.

The visual that provides a medium of precise proportions but that surprises nonetheless. A visual that leads the spectator astray, counterposing the title "Realmente Mini" (really Mini) to the size of the animal which becomes a toy, at once a status symbol and an element of male representation.

A year that passed serenely and lightly, but it was the start of a new millennium and it was immediately put to the test. The eleventh of September left an indelible mark on the calendars of us all. Private and public finance began their tale of woe. Creativity had to become more attentive, cunning and sensitive. The world's visuals needed a new harmony.

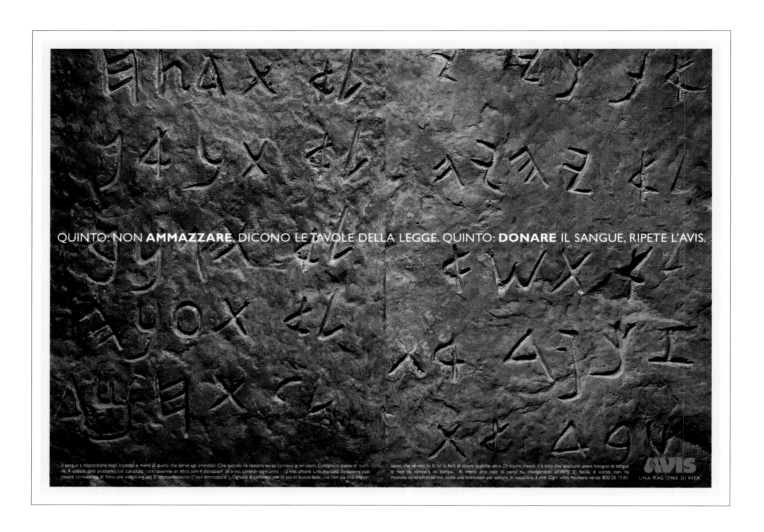

QUINTO: NON **AMMAZZARE**, DICONO LE TAVOLE DELLA LEGGE. QUINTO: **DONARE** IL SANGUE, RIPETE L'AVIS.

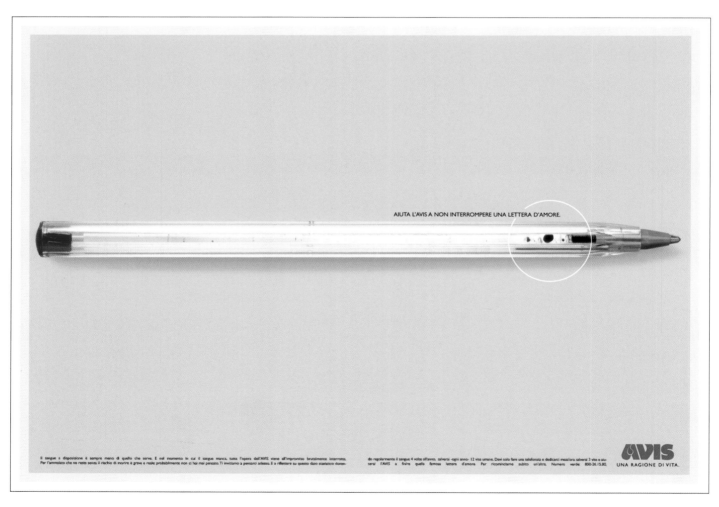

AIUTA L'AVIS A NON INTERROMPERE UNA LETTERA D'AMORE.

Cliente AVIS
Creative Directors Lorenzo Marini / Pino Pilla
Art Director Arianna Conti
Copywriter Pino Pilla
Elisa Maino
Fotografo Carlo Paggiarino

Headline
The Fifth Commandment says, Thou shalt not kill.
AVIS says, Thou shalt give blood.

Help AVIS to not cut short a love letter.

Headline
TV, internet, and telephone. Fast. Convenient. In a single cable.

Cliente Fastweb
Creative Directors Lorenzo Marini
Pino Pilla
Illustratore Milo Manara

Cliente   Valtur
Creative Directors   Lorenzo Marini
Copywriter   Pino Pilla
Fotografo   Gian Paolo Barbieri

Headline
Valtur catalogue: new edition.

*Mediterranea.
Per guardare
bellezza e benessere
con occhi nuovi.*

LINEA
MEDITERRANEA

Oggi la bellezza si guarda da un altro punto di vista: quello di Mediterranea, la linea cosmetica naturale, basata scientificamente sui principi attivi dell'olio di oliva, che non si trova nei negozi, ma che arriva direttamente a casa tua per regalarti bellezza e benessere ogni volta che vuoi.

Accompagniamo i nostri clienti ogni giorno un po' più in alto.

Private Banking
Credito Italiano

Cliente	Carli - Mediterranea
Creative Directors	Lorenzo Marini / Pino Pilla
Art Director	Mauro Maniscalco
Copywriter	Pino Pilla
Fotografo	Marco Cambiaghi
Headline	To look at beauty with different eyes.

Cliente	Unicredito
Art Director	Lorenzo Marini
Copywriter	Pino Pilla
Fotografo	Carlo Paggiarino
Headline	Every day we help our clients climb a little higher.

Il Pane è vita.

Il Pane è coetaneo dell'Uomo. E' passato indenne attraverso i secoli, le popolazioni, le usanze, le mode e le diete. Nei nuovi impianti professionali oggi molti fornai surgelano il pane quasi cotto.

Per portarlo poi alla cottura finale subito prima di farlo arrivare alla gente: fresco, fragrante, sano, nutriente. Buono come il pane. Come la Vita.

BICE

Cliente   BICE
Art Director   Lorenzo Marini
Copywriter   Pino Pilla
Fotografo   Ambrogio Gualdoni

Headline
Bread is life.

Da oggi offriamo
ai nostri correntisti
un servizio in più. Anzi, molti:
800-771100

È il numero verde del nuovo Servizio di Banca Telefonica, attraverso il quale potrete effettuare direttamente e comodamente da casa una vasta gamma di operazioni bancarie. Dalle 8,00 alle 22,00 e il sabato dalle 8,30 alle 16,30 vi risponderà un numero operatore, mentre 24 ore su 24, tramite un sistema di risposta automatica, vi tra-line, potrete ricevere informazioni sul vostro conto corrente.
Se siete cercando un modo per risparmiare tempo e denaro, 800-771100 è il numero giusto per voi.

Servizi dispositivi

Compravendita di titoli azionari e obbligazionari
Compravendita dei titoli di Stato
Operazioni sui Fondi Comuni di Investimento
sotto dopo la prima attivazione effettuata a filiale
Bonifico sul conto corrente della Cassa di Risparmio di Parma e Piacenza
e su altre banche italiane

Servizi informativi

Saldo e movimenti di conto corrente in Lire ed Euro
Situazione degli assegni
Saldo e movimenti dei titoli
Situazione/estratto degli ordini di compravendita dei titoli
Quotazione dei titoli e indici borsistici
Informazioni sul servizio di Banca Telefonica
Informazioni sui prodotti e i servizi della banca

Cassa di Risparmio di Parma & Piacenza
Gruppo Intesa

Se dovete comprar casa,
la nostra banca vi aiuta
prima a trovare i soldi e poi a restituirli.

La casa per se stessi è sempre l'investimento migliore: su questo sono d'accordo tutti. La Cassa di Risparmio di Parma e Piacenza non fa eccezione. O forse sì: perché vi propone varie formule di Mutui Casa, negoziabili, volendo, anche in Euro, a condizioni assolutamente eccezionali, con un tasso d'ingresso addirittura del 3,3% per i primi 6 mesi. Restituirci il mutuo è agevole come ottenerlo. Potete telefonarci al numero verde 167-86.13.50 o, meglio ancora, venite a trovarci. Vi aspettiamo alla Cassa di Risparmio di Parma e Piacenza, la banca in persona.

3,3%

Cassa di Risparmio di Parma & Piacenza
Gruppo Intesa

Museo di Arte Contemporanea.
Capolavoro n/44.

Campanile
Via Condotti, 58 - tel. 06/6790731.

FILA SI NASCE.

Cliente	Fila
Art Director	Lorenzo Marini
Copywriter	Pino Pilla
Fotografo	Peter Arnell
Headline	Fila athletes are born.

Mini per davvero.

Mini Cooper. Scala 1:18.

Headline
Really mini.

Cliente   BBURAGO
Creative Directors   Lorenzo Marini
                     Pino Pilla
Art Director   Arianna Conti
Copywriter   Elisa Maino

  AIDS

Valtur

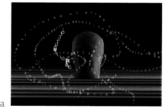 

Congresso Assocomunicazione Upa

DUEMILADUE

Un nuovo lusso si avvicina al nostro mondo. È pulito, garbato, intelligente. Non è più l'oggetto ma lo stile. Pineider lancia la stilografica Egosphere appellandosi alla psicologia del suo nuovo target piuttosto che all'opulenza decadente del settore. Una nuova leggerezza arriva nel mercato cosmetico, fatto di poesia e sincerità. Mediterranea lancia la linea per bimbi e diventa materna, delicata, protettiva. Anche Primizia continua il tema della fiaba interpretata, scusa poetica per raccontare il prodotto. Natuzzi cresce con Italsofa e lo racconta con la crescita dei suoi prodotti, verso un intramontabile comfort. E promuove poi l'Italian Touch nel mondo intero: una pizza, un pallone, una gondola. I visual che piacciono fuori dall'Italia non sono quelli che piacciono dentro. Valtur continua il rigore del bianco/nero e sceglie l'ironia delle parole. Il nuovo consumatore deve capire, la comunicazione spiega e il marketing segmenta. BBurago interpreta i suoi modelli con il visual della scomposizione verbale: da auto-mobile ad auto-composizione. Autoritratto, autoerotismo, autoradio. Si percepisce incertezza, nel mondo mediatico. La pubblicità orfana del sogno, lo sboom della new economy e la paura del futuro suggeriscono visual più parsimoniosi. La provocazione è morta e si fatica a trovare il nuovo linguaggio del terzo millennio.

A new form of luxury is approaching our world. Cleaner, more polite and intelligent. No longer the object, but style. Pineider launched the Egosphere pen, appealing to the psychology of its new target rather than to the decadent opulence of the sector. A new form of lightness reached the cosmetics market, made of poetry and sincerity. Mediterranea launched its children's range, becoming maternal, delicate and protective. Primizia continued the theme of spoken fables, a poetic opportunity to talk about the product. Natuzzi was growing with Italsofa, and it expressed this through the growth of its products, towards a timeless comfort. And by promoting the Italian Touch all over the world: a pizza, a football, a gondola. The visuals that are appealing outside Italy are not the same as those that appeal in this country. Valtur continued in severe black and white, using irony in the wording. The new consumer had to understand, communications explain it all, and marketing takes care of segmentation. BBurago expressed its models with a visual based on verbal dissection: from auto-mobile to auto-composition. Auto-eroticism, autoritratto (self-portrait), autoradio (car radio). There was a feeling of uncertainty in the media world. Advertising had been orphaned, dreams dashed. The boom of the new economy and fear of the future suggested more thrifty visuals. Provocation had died and it was difficult to identify the new language for the third millennium.

ADESSO CHE LE E-MAIL LE SCRIVONO TUTTI.

EGOSPHERE
Pineider
NUOVA, DAL 1774.

800.001774

PARLATE DI MENO.

EGOSPHERE
Pineider
NUOVA, DAL 1774.

800.001774

Cliente   Pineider
Art Director   Lorenzo Marini
Copywriter   Pino Pilla
    Elisa Maino
Fotografo   Ambrogio Gualdoni

Headline
Now that everyone is writing e-mail.

Speak less.

Mamma natura.

LINEA
MEDITERRANEA
Fratelli Carli

Headline
Mother nature.

Cliente   Carli - Mediterranea
Creative Directors Lorenzo Marini
                     Pino Pilla
Art Director   Mauro Maniscalco
Copywriter   Elisa Maino
Fotografo   Laura Rikus

AUTORADIO.

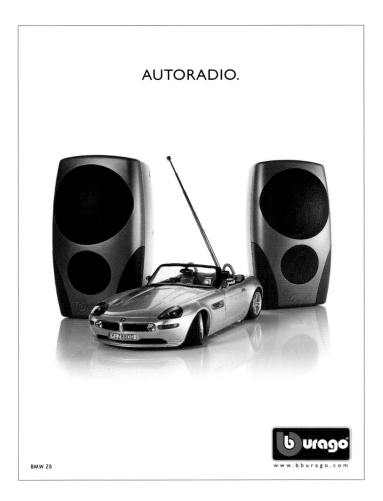

BMW Z8

www.bburago.com

AUTOPSIA.

Golf Rally scala 1:24

www.bburago.com

Cliente   BBurago
Creative Directors   Lorenzo Marini
                         Pino Pilla
Art Director   Mauro Maniscalco
Copywriter   Elisa Maino
Fotografo   Franco Berra

The Italian *touch*.

Italsofa is passion and creativity,
tradition and craftsmanship.
it is top quality at really affordable
prices. The design, comfort and
guarantee of the Natuzzi Group
make Italsofa the ideal sofa to
have in every house, a worldwide
symbol of Italian taste and
"warmth". Italsofa is dedicated to
you and to all your customers
who want nothing more than
to really get to know an
authentic "piece of Italy".
Italsofa is a great business
opportunity offered by Natuzzi.

Italsofa
The Italian touch

We continue to seat more and more people on Italsofa.

Italsofa was born in 2000 and with
your support and encouragement,
it has proved to be a remarkable
success story.
The quality of Italsofa, combining
careful craftsmanship, Italian design
and high value, makes the Italian
Touch unmistakably Natuzzi.
2003 will continue to bring true
rewards and continued success to
our valued retailers as more and
more people sit on Italsofa.

Italsofa
The Italian touch

2000

2001

2002

2003

Italsofa at Natuzzi Hall 24.1

Cliente   Natuzzi
Creative Directors   Lorenzo Marini
                         Pino Pilla
Art Director   Masatoshi Hori
Copywriter   Pino Pilla

SCELGO VALTUR PERCHE' NON AMO IL VILLAGGIO.

MENO MALE CHE IN VALTUR I GENITORI ME LI TENGONO TRANQUILLI.

LA MADRE DI TUTTI I VIZI E' UNA VACANZA VALTUR.

Cliente   Valtur
Creative Directors   Lorenzo Marini
   Pino Pilla
Art Director   Arianna Conti
Copywriter   Elisa Maino
Fotografo   Alessandro Dobici

Headline
I choose Valtur because I don't like resorts.
Thank heavens Valtur will keep my parents quiet.
The mother of all guilty pleasures is a Valtur holiday.

Il mio
principe azzurro
arriverà su
un cavallo marino.

LA SIRENETTA DI
PRIMIZIA

Quella coda
cominciava
a starmi stretta.
Così va meglio, no?

LA SIRENETTA DI
PRIMIZIA

Headline
My Prince Charming will come on a seahorse.

That tail was starting to get uncomfortable.
This is better, isn't it?

Cliente
Creative Directors

Art Director
Copywriter
Fotografo

Garda Primizia
Lorenzo Marini
Pino Pilla
Stefania Tedeschi
Annalisa La Camera
Gian Paolo Tomasi

Marino Parisotto per Valtur.

È stato presentato il nuovo catalogo Valtur con la Collezione Vacanze 1999-2000.

Cliente	Valtur
Creative Directors	Lorenzo Marini
	Pino Pilla
Art Director	Arianna Conti
Copywriter	Pino Pilla
Fotografo	Marino Parisotto

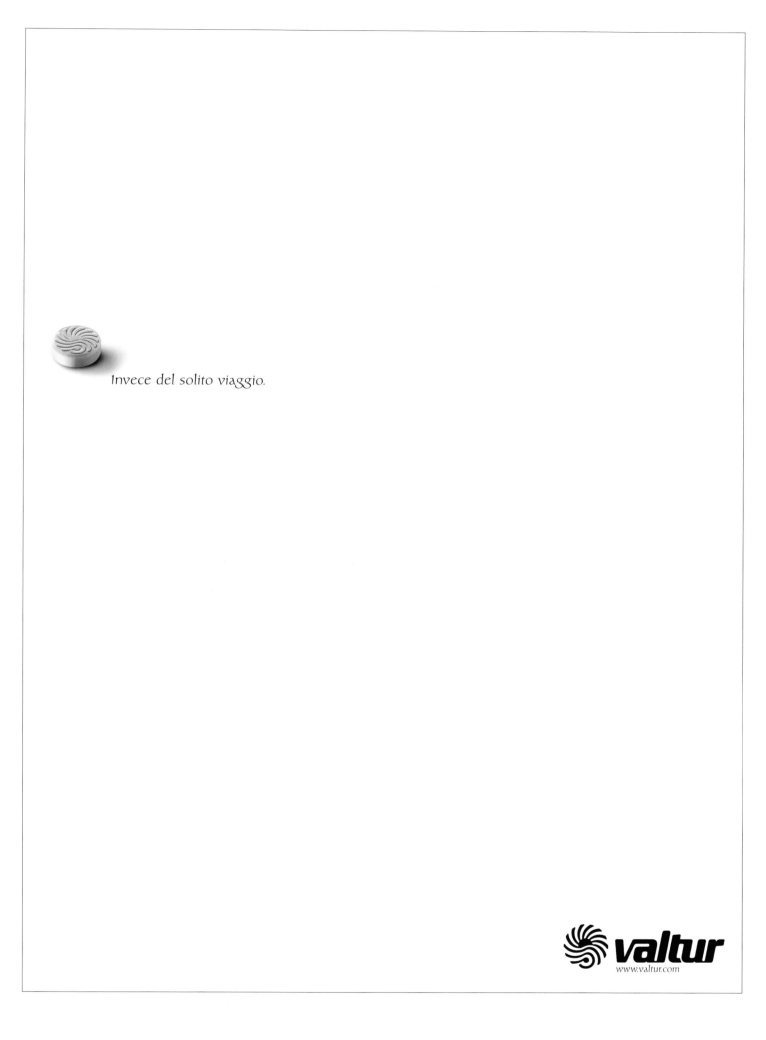

Invece del solito viaggio.

valtur
www.valtur.com

Headline
Instead of the usual trip.

Cliente   Valtur
Creative Directors   Lorenzo Marini
                            Pino Pilla
Art Director   Mauro Maniscalco
Copywriter   Elisa Maino
Fotografo   Mauro Maniscalco

  Valtur "Open Club"

 Flair

 Fujifilm "Tifosi"

  IAP istituzionale

DUEMILATRE

L'anno duemilatre porta sorprese, energia, crescita. Il nostro team supera le quindici persone, senza contare i servizi esterni, i freelance e i collaboratori. Porta un nuovo associato, Pietro Dotti, che si aggiunge agli storici Daniele Pelissero e Pino Pilla. Il tavolo si regge su quattro gambe, due creativi e due commerciali. Arriva il budget mondiale per Ferretti Yachts, dopo una consultazione creativa a tre. Scegliamo una linea di condotta low profile, spostiamo la promessa dall'avere all'essere, raccontiamo la persona anziché il prodotto. Il principe cavaliere anziché il suo cavallo. Il visual è la deificazione del corpo femminile, la scultoreità di quello maschile, il silenzio elegante della solitudine, l'allontanarsi dai luoghi comuni. In un Ferretti tutto può succedere purché arrivi dal paradiso. Arriva Liquigas con i suoi temi istituzionali e il visual diventa marchio giocato, allungato, reiterato, scomposto. Pineider presenta Tribag, la valigia che può essere 12, 24, 36 ore, tre volte bella. BBurago gioca ad ammazzare la noia o si innamora a prima vista. Valtur ti invita a scegliere: sale o pepe, olio o aceto, mari o monti. Tutto, purché sia Valtur. Arriva da Bacardi-Martini un incarico importante, che tradisce per Chinamartini le sue tradizionali McCann Erickson e Armando Testa. Presentiamo il neo futurismo, che è un mondo trasversale sul futuro e sulle radici culturali del prodotto nel suo passato. Arriva Fujifilm per il quale partiamo dal posizionamento della marca ed è per questo che il visual diventa esplicativo, tecnologico, interattivo, multilivello. Arriva anche Coca Cola, con un progetto tutto italiano: l'Art Calendar, dove artisti di vari paesi dedicano la propria opera al soft drink più celebre del mondo. Valtur chiude con noi un quinquennio meraviglioso: la crisi del turismo, iniziata l'undici settembre e il ritorno al core business che è il villaggio ridimensiona l'ambito comunicazionale. Dedichiamo l'ultimo visual al villaggio che non è negli occhi ma nella visione. E finiamo l'anno con il Cotto del Vignola, dove anche un vaso antico si anima ritrovando così le sue origini. I visual sono ami. Spesso le esche catturano la nostra attenzione. E al AD Print Awards, abbiamo vinto il bronzo per l'agenzia più creativa in Europa.

Two thousand and three brought with it surprises, energy and growth. Our team now exceeded fifteen people, without considering the external suppliers, freelance consultants and assistants. The year brought us a new associate, Pietro Dotti, who joined the original associates Daniele Pelissero and Pino Pilla. The table now had four legs, two creative directors and two sales directors. The Ferretti Yachts worldwide account arrived, after creative consulting by three agencies. We chose a low profile line, shifting the promise from "having" to "being", talking about the person rather than the product. The knight and not his horse. The visual was the deification of the female body, the sculptural power of the male, the stylish silence of solitude, moving away from platitudes. In a Ferretti, anything can happen as long as it comes from paradise. Liquigas arrived with its institutional themes, and the visual became a study on the trademark, elongated, repeated and fragmented. Pineider presented Tribag, a suitcase with enough room for 12,24 or 36 hours, three times as beautiful. For BBurago there was the theme of banishing boredom, or love at first sight. Valtur invited a choice: salt or pepper, olive oil or vinegar, sea or mountains. Anything, as long as it is Valtur. An important account arrived with Bacardi-Martini, who for Chinamartini broke away from its traditional McCann Erickson and Armando Testa. We presented neo-Futurism, a wide-ranging look at the future and the cultural roots of the product, its past. Fujifilm arrived, for whom we started from the brand's positioning, making the visual explanatory, technological, interactive and multilevel. And there was Coca Cola as well, with an entirely Italian project: the Art Calendar, in which artists from various countries dedicated their work to the most famous soft drink in the world. Valtur brought an end to five marvellous years with us. The crisis in tourism, which had begun with 11 September, and the company's return to its core business, the tourist village, led to a restructuring of its communications. We dedicated the last visual to the tourist village that is not seen by eyes, but by inner vision. And we ended the year with Cotto del Vignola, in which even an ancient vase comes to life, rediscovering its origins. Visuals are hooks. Very often, attention rises to the bait. At the European AD Print awards, we won a prize for the third creative team in Europe.

È più sveglia Biancaneve del principe.

PRIMIZIA
lingerie

Attenta Biancaneve. Ti ricordi
del peccato originale?

PRIMIZIA
lingerie

Headline
Snow White is wider-awake than the Prince.

Watch out. Do you remember
the original sin?

Attenta Biancaneve. Ti ricordi
del peccato originale?

Sette nani non fanno un principe.

Headline
Where has the Prince Charming gone?

Seven dwarfs don't make a Prince.

Cliente	Garda - Primizia
Creative Directors	Lorenzo Marini
	Pino Pilla
Art Director	Laura Valente
Copywriter	Elisa Maino
Fotografo	Marco Cambiaghi

BOMBOLA TWINY. 5 KG TASCABILI.

LIQUIGAS
SEMPRE E OVUNQUE.

Cliente	Liquigas	**Headline**	
Creative Directors	Lorenzo Marini	Twiny cylinder. 5 kg in your poket.	
	Pino Pilla		
Art Director	Mauro Maniscalco		
Copywriter	Elisa Maino		

Per voi

che amate farvi non vedere.

Essere Ferretti e non apparire. Vivere il mare, senza mostrarsi agli altri.

Essere Ferretti.

FERRETTI
YACHTS

880 810RPH 810 760 730 680 620 590 530 500 460   a ferrettigroup division - ferretti-yachts.com - info@ferretti-yachts.com

Molto mossi

gli altri mari.

Uno yacht Ferretti si riconosce dal profilo. Anche il suo armatore.

Essere Ferretti.

FERRETTI
YACHTS

880 810RPH 810 760 730 680 620 590 530 500 460   a ferrettigroup division - ferretti-yachts.com - info@ferretti-yachts.com

Headline
For people who like to be unseen.

Rough seas in all other areas.

Cliente	Ferretti
Art Director	Lorenzo Marini
Copywriter	Pino Pilla
	Elisa Maino
Fotografo	Christian Coigny

TRE VOLTE BELLA.

TRIBAG. BORSA ESTENSIBILE A TRE CAPIENZE.

Pineider
NUOVA, DAL 1774.

SALE O PEPE?   OLIO O ACETO? ACQUA O VINO? MARE O MONTI? VALTUR O VALTUR?

valtur
www.valtur.it

Cliente	Pineider		**Cliente**	Valtur
Creative Directors	Lorenzo Marini		**Art Director**	Lorenzo Marini
Art Director	Michela Bellomo		**Copywriter**	Pino Pilla
Copywriter	Pino Pilla		**Fotografo**	Paolo Spinazzè
Fotografo	Franco Berra		**Headline**	Salt or pepper? Oil or vinegar?
Headline	Three times as beautiful.			Mountain or seaside? Valtur or Valtur?
	Tribag. The extendable bag with three capacities.			

Love at the first sight.

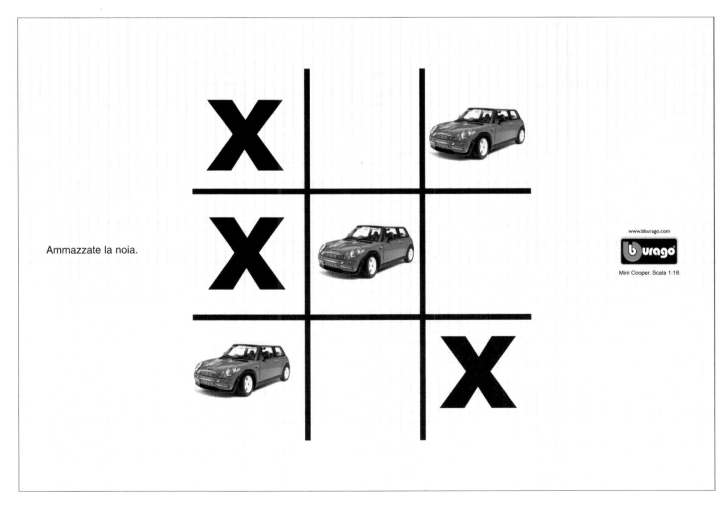

Ammazzate la noia.

www.bburago.com

Mini Cooper. Scala 1:18.

Headline
Killing time.

Cliente	BBurago
Creative Directors	Lorenzo Marini
Art Director	Arianna Conti
Copywriter	Pino Pilla
	Elisa Maino
Fotografo	Ambrogio Gualdoni

CHINAMARTINI. RITORNO AL FUTURISMO.

Cliente   Martini
Creative Directors   Lorenzo Marini
     Pino Pilla
Graphic Design   Yasuo Nakajima

Headline
China Martini. The sweetest bitter.
China Martini. Back to futurism.

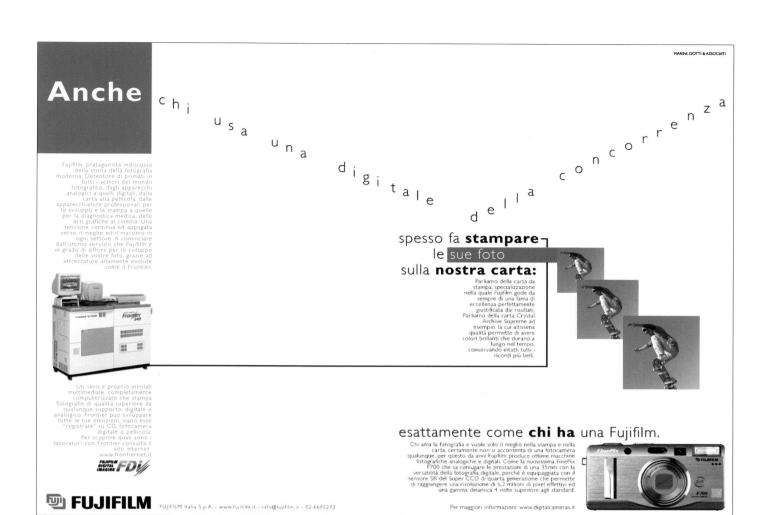

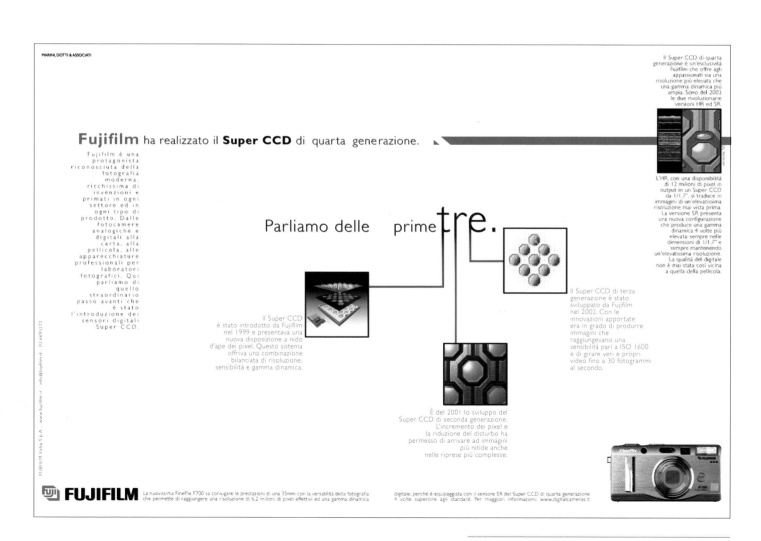

Headline
Even photographers who use competing digital cameras often print their shots on our paper.

Fujifilm has developed the fourth generation Super CCD. Let's look at the first three.

Cliente	Fujifilm
Creative Directors	Lorenzo Marini
	Pino Pilla
Art Director	Laura Valente
Copywriter	Pino Pilla

Un'impronta diversa.

Milano Marathon, Km 42,195 - 3 dicembre 2000
Milano fibra ottica FastWeb, km 64.000 - 31 dicembre 2000

Un'idea e.Biscom

FAST///EB

Cliente   Fastweb
Creative Directors   Lorenzo Marini
                         Pino Pilla
Art Director   Mauro Maniscalco
Copywriter   Pino Pilla
Fotografo   Image bank

Headline
A different print.

AMIAMO COSÌ TANTO
LA PUBBLICITÀ
CHE A VOLTE
LA BLOCCHIAMO.

ISTITUTO
AUTODISCIPLINA
PUBBLICITARIA
www.iap.it

Cliente   IAP
Creative Directors   Lorenzo Marini
                         Pino Pilla
Graphic Design   Mauro Maniscalco
Headline   We love advertising so much that sometimes we block it.

FAAC "Cancelli"

China Martini

Zuritel

DUEMILAQUATTRO

Visual
di donne senza mostrare le donne. È Flair, il
Vogue di casa Mondadori. La solita gara a tre, ma chi è
esperto di dadi e di antiforfora non ce la fa a vendere il lusso. Flair non è
un mensile, ma un'icona: questo il nostro concept. Non c'è bisogno di spot
standard, quelli di registi trendy e donne diafane, desaturate e acide come l'invidia e
anoressiche come la noia. C'è bisogno di un mondo che rappresenti un marchio, che sono cinque
lettere, che saranno cinque donne. C'è bisogno del nero di un teatro e di un coreografo a livello
mondiale che lo racconti, a passo di danza postmoderna. E con David Parson assieme facciamo regia e
coreografia, composizione e art direction. Visual, appunto. Mentre la stampa racconterà le donne che tengono
in mano le pagine, settore per settore, numero per numero. Flair, due punti, a capo. Mentre a febbraio Flair
aumenta le vendite, a marzo Primizia presenta le nuove fiabe, con la scusa dell'intimo, reggiseno per ragazze che
non hanno bisogno di reggiseno. Ed è una nuova Alice nel Paese delle meraviglie di Gian Paolo Tomasi. BBurago
mostra il suo nuovo giocattolo, ma non più sul caminetto o sui luoghi da collezionisti ma dentro un garage:
macchine vere, non giocattoli. Ferretti racconta ancora per il terzo anno le storie dell'Essere. Adesso che delle cose
non ti interessa più il prezzo ma il valore. Fujifilm, forte del primo premio italiano alla competizione
internazionale Epica, prosegue nella stampa il concept della facilità d'uso delle sue digitali e della
conseguente irresistibilità. Il visual racconta il paradosso, la scusa per essere fotografati in qualsiasi
momento o situazione, il surreale incontro sul ring o il mancato salvataggio. Tutto è possibile, sdoganati
dall'impossibilità. Canali lancia una campagna istituzionale per posizionare la marca nella
sartorialità artigianale. Il visual sarà l'annuncio fatto a mano, dal testo della calligrafa Chen
Li al disegno illustrato di Ferenc Pinter ogni annuncio uscirà una sola volta, che il
fatto a mano non si può ripetere mai. Nel corso del 2004 Lorenzo Marini
riceve il premio TP dell'anno, per il suo contributo speciale alla
creatività e alla sua applicazione. Anche questo,
in fondo, è un visual.

Visuals
of women without showing women. This
was Flair, Mondadori's Vogue. The usual competition between three agencies. We won because we combined intelligence with
luxury. Flair is not a monthly, but an icon: this was our concept. There was no
need for the usual commercials, by trendy directors and diaphanous women, as acid as
envy and as anorexic as boredom. There was a need for a world that represents a brand, a
brand of five letters, that will correspond to five women. There was a need for the darkness of a
theatre and a choreographer of world renown who could express it, using the steps of postmodern
dance. Together with David Parsons, we supervised direction, choreography, composition and art direction. In a word, visuals. While the press talked about the women running the pages, sector by sector, issue
by issue. Flair, colon, new line. While in February, Flair's sales increased, in March Primizia presented its
new fables, this time using lingerie as an excuse, a bra for girls who do not need a bra. A new Alice in
Wonderland by Gianpaolo Tomasi. BBurago presented its new toy, no longer on the mantelpiece or in collec-
tors' cabinets, but inside a garage: real cars, not just toys. For the third year, Ferretti told the stories of
being. Today the interesting thing about objects is no longer their price, but their value. The worldwide
campaign accumulated subjects and success, photography exhibitions and international prizes. Fujifilm,
riding high on the success of its first prize in Italy in the international Epica competition, continued,
in its press campaigns, with the concept of how simple their digital cameras are to use, and
their consequent irresistibility. The visual developed a paradox, an excuse to be photogra-
phed at any time or in any situation, a surreal encounter on the ring, or a failed
rescue. Everything is possible, vindicated by impossibility. In 2004, Lorenzo
Marini received the TP annual prize, for his remarkable contribu-
tion to creativity and its application. This also, after
all, is a visual.

Pag. 116

In diretta su flair.

Pag. 504

Il trucco è svelato. Su flair.

Cliente	Flair
Creative Directors	Lorenzo Marini
	Pino Pilla
Art Director	Paolo Bianchini
Copywriter	Elisa Maino
Fotografo	Lucio Gelsi

flair. Soggetto di design.

flair. Femminile culturale.

Headline

Pensavo di
perdere
qualche chilo,
invece ho perso
un centinaio
di centimetri.

ALICE NEL PAESE DI

PRIMIZIA

La torta di
non-compleanno
si mangia 364
giorni all'anno.

ALICE NEL PAESE DI

PRIMIZIA

Cliente   Garda - Primizia
Creative Directors Lorenzo Marini
                        Pino Pilla
Art Director   Stefania Tedeschi
Copywriter   Elisa Maino
Fotografo   Gian Paolo Tomasi

Headline
I thought I'd lose a few pounds. Instead I lost around forty inches.

You can eat unbirthday cake 364 days a year.

Headline
There's no Queen of Hearts. Good thing there's the Queen of Little Hearts.

At last there's a doll in the doll's house.

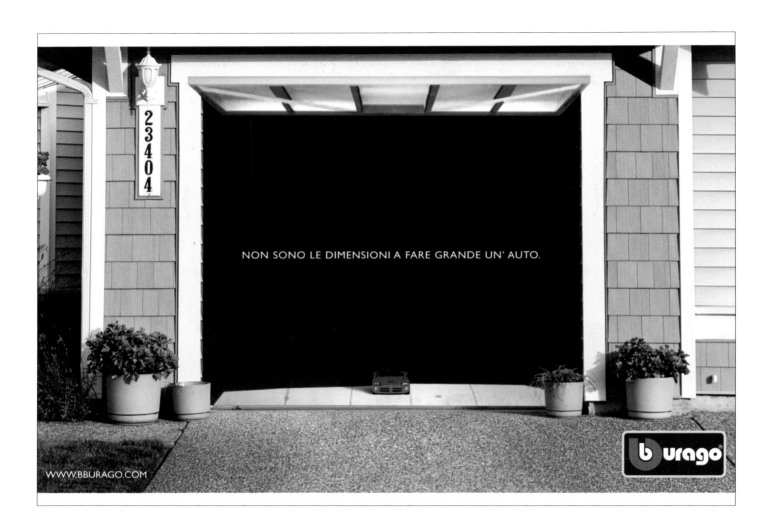

NON SONO LE DIMENSIONI A FARE GRANDE UN' AUTO.

WWW.BBURAGO.COM

Real cars 1:18 scale.

Cliente	BBurago
Creative Directors	Lorenzo Marini
	Pino Pilla
Art Director	Mauro Maniscalco
Copywriter	Elisa Maino
Headline	Size is not what makes a car great.

Cliente	BBurago
Creative Directors	Lorenzo Marini
	Pino Pilla
Art Director	Paolo Bianchini
Copywriter	Elisa Maino
Fotografo	Paolo Bianchini

Oggi che la ricchezza si misura in secondi,
prendete tempo per voi.

Qualcuno afferma che il tempo vola, noi preferiamo dire che naviga.
Su uno yacht Ferretti, nel comfort più esclusivo, insieme a voi.

Essere Ferretti.

FERRETTI
YACHTS

880 | 810RPH | 810 | 760 | 730 | 680 | 620 | 590 | 530 | 500 | 460   a ferrettigroup division - ferretti-yachts.com - info@ferretti-yachts.com

Adesso che delle cose
non vi interessa il prezzo,
ma il valore.

Chi possiede uno yacht Ferretti apprezza quello che gli altri non notano neppure.

Essere Ferretti.

FERRETTI
YACHTS

880 | 810RPH | 810 | 760 | 730 | 680 | 620 | 590 | 530 | 500 | 460   a ferrettigroup division - ferretti-yachts.com - info@ferretti-yachts.com

Headline
Now that wealth in measured in seconds,
take some time for yourselves.

Now that you're not interested in the price of things,
but their worth.

Cliente	Ferretti
Art Director	Lorenzo Marini
Copywriter	Elisa Maino
Fotografo	Christian Coigny

Di fronte a una digitale FinePix non resiste nessuno.

Di fronte a una digitale FinePix non resiste nessuno.

Cliente	Fujifilm
Creative Directors	Lorenzo Marini
	Pino Pilla
Art Director	Mauro Maniscalco
Copywriters	Elisa Maino
	Annalisa La Camera
Fotografo	Gian Paolo Tomasi

Di fronte a una FinePix non resiste nessuno.

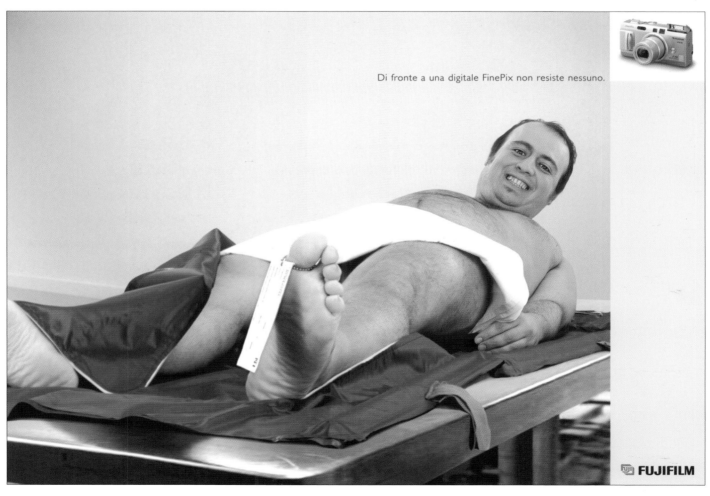

Di fronte a una digitale FinePix non resiste nessuno.

Headline
Noboby can resist in front of a FinePix.

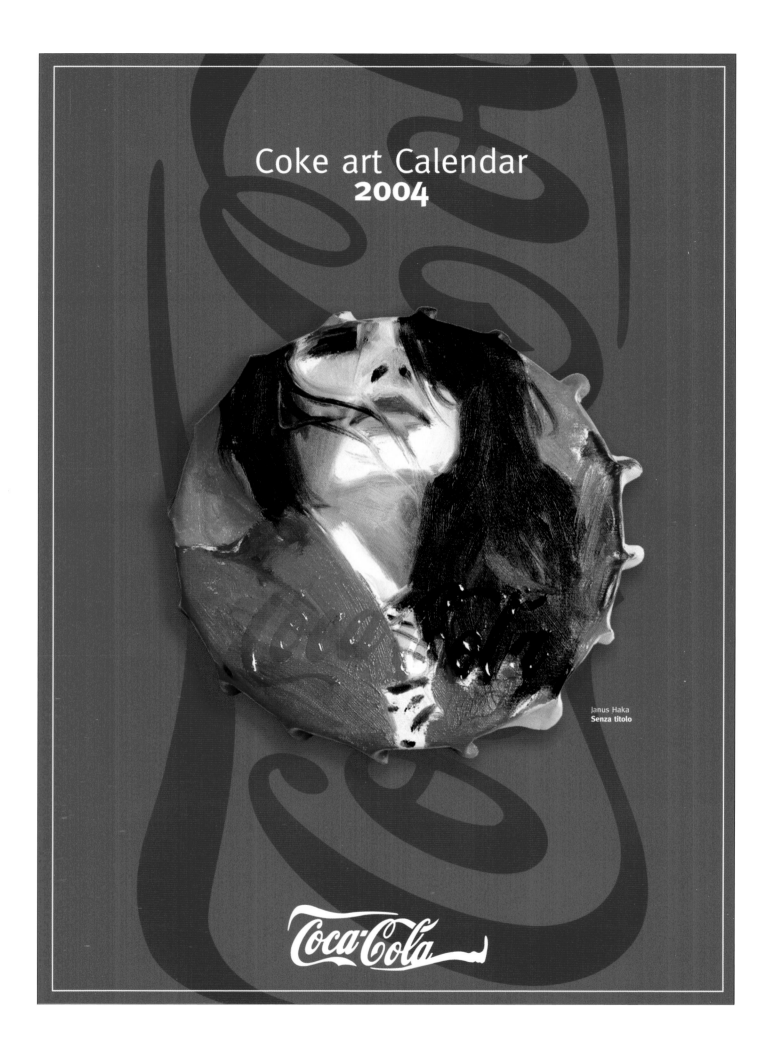

Coke art Calendar
2004

Janus Haka
Senza titolo

Coca-Cola

Cliente   Coca-Cola
Creative Director   Lorenzo Marini
Graphic Design   Masatoshi Hori

Pensi che le Compagnie di Assicurazione siano tutte uguali?

Assaggia Zuritel.

Pensi che le Compagnie di Assicurazione siano tutte uguali?

Assaggia Zuritel.

Headline
Do you think we are the same old Insurance Company?
Try us.

Cliente   Zuritel
Art Director   Lorenzo Marini
Copywriter   Pino Pilla
Fotografo   Peter Lippmann

"UN VERO VIAGGIO DI SCOPERTA NON È CERCARE NUOVE TERRE, MA AVERE NUOVI OCCHI". Blaise Pascal

Se confermate entro 30 giorni dalla data di partenza la vostra vacanza di luglio in Villaggio Valtur vi dedica una riduzione incredibile.

Cliente   Valtur
Creative Director   Lorenzo Marini
     Pino Pilla
Art Director   Arianna Conti

Headline
The real voyage of discovery consists not in seeking new landscapes, but in having new eyes.

Produttori di attrazione.

COTTO DEL VIGNOLA

Per ricevere maggiori informazioni e i nostri cataloghi, potete contattarci al numero verde: 800266266. www.fabbricadelvignola.it

FABBRICA
DEL VIGNOLA
facemo knowie da signola
a brand of EMILCERAMICA

Headline
Attraction makers.

Cliente	Fabbrica del Vignola
Creative Directors	Lorenzo Marini
	Pino Pilla
Art Director	Paolo Bianchini
Copywriter	Elisa Maino

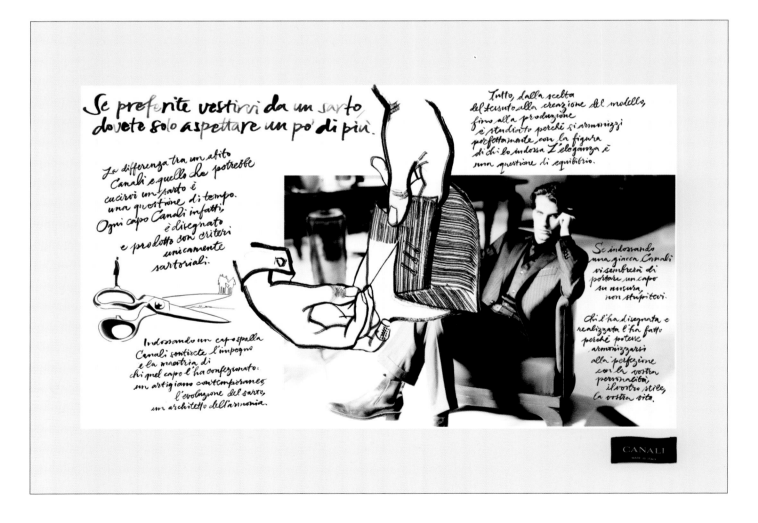

Headline

A jacket sewn with needle and thread. What's unusual about that? Almost everything.

If you want to be dressed by a tailor, you just need to wait a little longer.

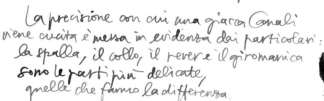

Headline
To perfectly sew all parts of a suit together,
Canali has extremely sophisticated machines: human hands.

Cliente	Canali
Creative Directors	Lorenzo Marini
	Pino Pilla
Illustratore	Ferenc Pinter
Copywriter	Pino Pilla
	Elisa Maino
Calligraphy	Chen Li

Alleanza "Scuola"

In the world

Aisla

DUEMILACINQUE

incarna meglio la sociologia del momento. Per Binda lanciamo i gioielli Trudi, equilibrio fluido tra la sensualità dell'oro e l'ingenuità pulita del giocattolo, attraverso una Michelle Hunziker metà donna e metà bambina. Lasciamo Zuritel causa allineamento internazionale, dopo aver portato la marca dal sesto al quarto posto nel mercato delle assicurazioni telefoniche, a colpi di visual sempre diversi ma sempre uguali. Per Aisla raccontiamo il visual dell'impossibilità improvvisa. Un gesto quotidiano può diventare impossibile con la Sclerosi Laterale Amiotrofica, che le patologie vanno spiegate, prima ancora che capite. Lasciamo BBurago al suo destino di grande marca in completo declino con un annuncio che è una preveggenza: finalmente un'auto che non lascia segni nell'aria. Visual: un tubo di scappamento perfettamente confondibile con l'originale, tanto è fedele la riproduzione in scala. Per Avon Celli, cashmere, usiamo il visual della nostalgia, riportando la marca nel suo tempo di origine: gli anni '30. Alcune marche creano il loro passato senza averlo, Avon Celli ha già la storia nel suo filato. Per Tre Marie, l'alimento di lusso di Barilla, raccontiamo la storia dell'azienda con i prodotti appena accennati. Il visual è una interpretazione libera di ciò che un prodotto può suggerire: la luna, le cime di montagna, la lingua. Promessa appoggiata al visual, che è una scusa. Per Ferretti continuiamo il filone dell'Essere perché il successo ha bisogno di tempo come una campagna di ripetizione un amore di fedeltà. Per Canali continuiamo con un visual che incarna il punto d'incontro tra sartorialità e industria, incarnato da un designer. Matteo Thun non indossa Canali, lo interpreta. Per Universal Music una promozione che usa il visual comparativo e il tratto grafico bidimensionale. Per le creme anti-age di Mediterranea, il visual di un tronco senza i cerchi concentrici degli anni, cancellati inesorabilmente dell'efficacia – iperbolica – del prodotto. Per Coca Cola un calendario che utilizza i dipinti degli artisti di tutto il mondo. Come la Pop Art ha dedicato le sue opere alle marche, così la marca usa la Pop Art per celebrarsi. Nel giugno 2005 il mensile Espansione dedica la copertina a Lorenzo Marini e un ampio servizio sull'agenzia, unico caso di un creativo nella storia del prestigioso periodico di economia e finanza. Anche una copertina, in fondo, è un visual.

Exactly halfway through the first decade of the third millennium.

The 1980s were the years of the product: the product was king.

A fascinating dictator, surrounded by flocks of psychologists and courts of sociologists ready to shape the kingdom of lifestyle around him. And his jesters were the copywriters, whose words described its distinctive features, benefits and qualities. The 1990s saw the arrival of queen Brand. All tributes are due to her. The product is pure merchandise, the brand is pure image. The brand survives, creates fidelity, illuminates character by anticipating physical traits. Like a woman, a brand is loved for its personality even before its curves. There is a new star for the third millennium: the consumer. Time gave him the front page, a mirror for the observer, this is you, my friend. "Built around you", says the on-line bank, "everything around you", retorts Megan Gale for Vodafone. It has been made for you, you are at the centre, we do everything possible to make you happy.

They are not visuals, but unripe, almost unbelievable, promises. The target is no longer a passive target but an active partner. It is to the consumer that visuals should be dedicated, to his traits, desires and tastes. Products are just spokesmen for his dreams. The winners are those who best embody the sociology of the day.

For Binda we launched Trudi jewellery, a liquid balance between the sensuality of gold and the clean innocence of toys, with Michelle Hunziker, half woman and half child. We left Zuritel as a result of international rearrangement, after having brought the brand from sixth to fourth place in the telephone insurance market, by means of visuals that were ever different but always consistent.

For Aisla we told a tale of sudden hopelessness. An everyday gesture can be made impossible by Amyotrophic Lateral Sclerosis. Pathological conditions have to be explained before they can be understood.

We parted company with BBurago leaving it to its destiny of a great brand in total decline, with an advert that was something of a premonition: at last a car that leaves no sign of its passage in the air. Visual: an exhaust pipe whose scaled-down version was so realistic that it could be mistaken for the original.

For Avon Celli, cashmere, we used the visual of nostalgia, bringing the brand back to the days of its origin: the 1930s. Some brands create their past without having a past, while Avon Celli has already woven history with its yarn.

For Tre Marie, Barilla's luxury food brand, we told the history of the company, with only the briefest mention of the products. The visual was a broad interpretation of everything that a product can suggest: the moon, mountain peaks, language. A promise supported by the visual, which provided the opportunity. For Ferretti we continued the theme of Being, because success needs time, just as in a campaign of repetition, enhanced by a liking for fidelity.

For Canali we launched an institutional campaign to position the brand in the area of hand-crafted tailoring. The visual would be a hand-made advertisement, with text by calligrapher Chen Li and an illustrated drawing by Ferenc Pinter. Every advertisement would appear once only. Something hand-made can never be repeated.

For Universal Music, a promotion using comparative visuals and a two-dimensional graphic treatment. For the Mediterranea anti-age creams, the visual featured a tree trunk without the concentric annual circles, inexorably eradicated by the hyperbolic efficacy of the product.

For Coca Cola, a calendar featuring paintings by artists from all over the world. Just as Pop Art used brands in its works, the brand uses Pop Art for its own celebration.

In June 2005, the monthly magazine Espansione gave the front cover to Lorenzo Marini with an extensive report on the agency, the only time that a creative director had been so treated in the history of this prestigious business and financial periodical. And a front cover is definitely a visual.

Pensi che le Compagnie di Assicurazione siano tutte uguali?

Assaggia Zuritel.

Pensi che le Compagnie di Assicurazione siano tutte uguali?

Assaggia Zuritel.

Cliente   ZURITEL
Creative Directors   Lorenzo Marini
     Pino Pilla
Fotografo   Peter Lippmann

Headline
Do you think we are the same old Insurance Company?
Try us.

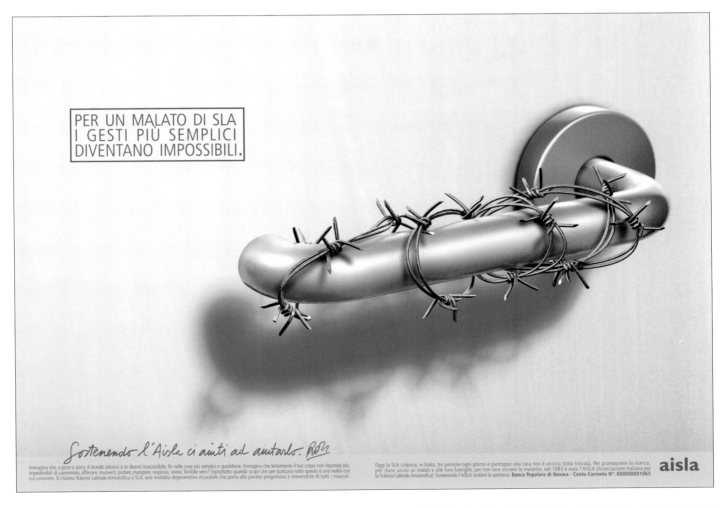

Headline
Suffering from ALS even the simplest of tasks become impossible.

Cliente AISLA
Creative Directors Lorenzo Marini
Pino Pilla
Art Director Paolo Bianchini
Copywriter Elisa Maino
Fotografo Alessandro Dalla Fontana

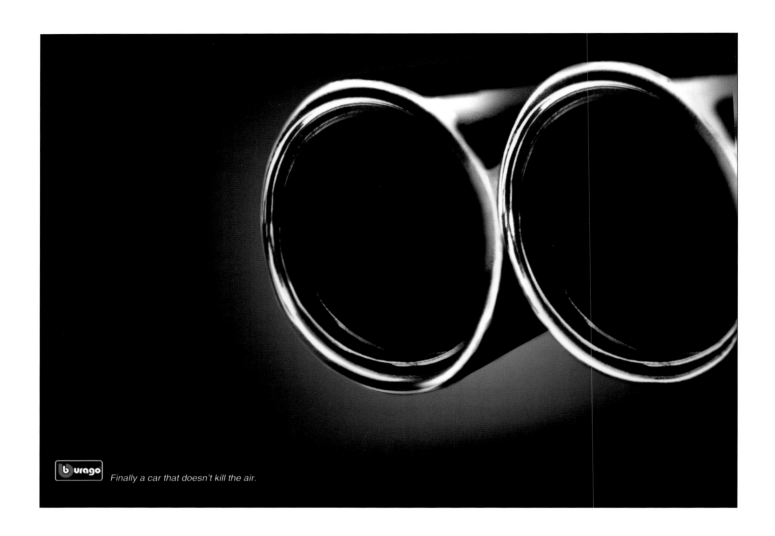

bburago *Finally a car that doesn't kill the air.*

Cliente	BBurago
Creative Directors	Lorenzo Marini
	Pino Pilla
Art Director	Paolo Bianchini
Copywriter	Elisa Maino
Fotografo	Paolo Bianchini

Cliente	Binda Trudy
Creative Directors	Lorenzo Marini
	Pino Pilla
Art Director	Paolo Bianchini
Copywriter	Elisa Maino
Fotografo	Emilio Tini

botanic c'est très chic.

botanic
flora, fauna & shopping

DAL 24 NOVEMBRE A MILANO • VIA ACHILLE PAPA • ZONA PORTELLO

giardino, mon amour.

botanic
flora, fauna & shopping

DAL 24 NOVEMBRE A MILANO • VIA ACHILLE PAPA • ZONA PORTELLO

la jolie animalerie.

botanic
flora, fauna & shopping

DAL 24 NOVEMBRE A MILANO • VIA ACHILLE PAPA • ZONA PORTELLO

Cliente   Botanic
Creative Directors   Lorenzo Marini
                         Pino Pilla
Art Director   Paolo Bianchini
Copywriter   Elisa Maino

Quando uno yacht è Ferretti,
tutti gli altri si assomigliano.

Essere Ferretti.

Guardando uno yacht Ferretti
si capisce perchè il mare si è preso
quattro quinti della terra.

Essere Ferretti.

Headline
When a yacht is a Ferretti, all the others look the same.

When you see a Ferretti yacht, you understand why
the sea took 4/5 of the Earth.

Cliente	Ferretti
Art Director	Lorenzo Marini
Copywriter	Pino Pilla
Fotografo	Christian Coigny

De*light*ful
Photo Calendar
2005

VIII

Roger Weiss

Coca-Cola light
MARCHIO REGISTRATO

In collaborazione con
VOGUE

Cliente	Coca-Cola
Creative Director	Lorenzo Marini
Designer	Yasuo Nakajima

VESTO. QUINDI SONO.

Headline
I dress, therefore I am.

Cliente   Canali
Art director   Lorenzo Marini
Copywriter   Elisa Maino
Fotografo   Giovanni Gastel

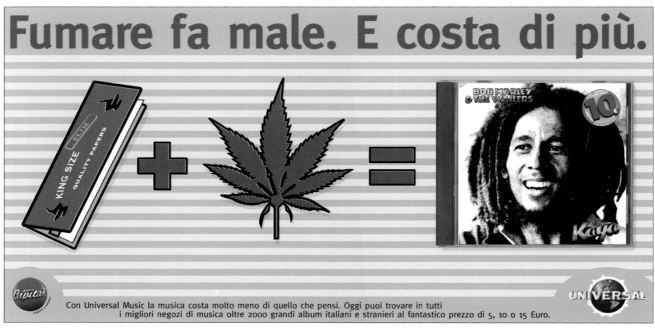

Cliente   Universal
Creative Directors Lorenzo Marini
         Pino Pilla
Art Director   Mauro Maniscalco
Copywriter   Elisa Maino

Headline
If you can do without a nice pint every now and again, you can listen to excellent music as often as you like.

Smoking is bad for you. And it costs more, too.

For the same price, you can have second-rate makeup or great music.

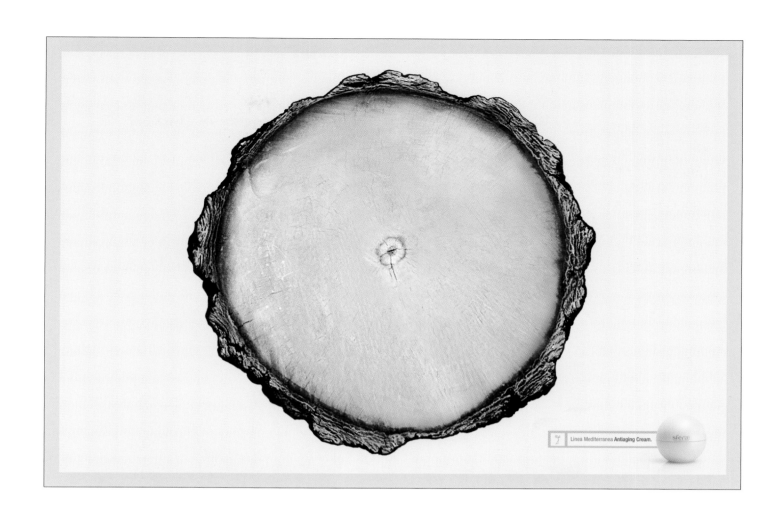

Linea Mediterranea **Antiaging Cream.**

Cliente   Fratelli Carli
Creative Directors   Lorenzo Marini
                           Pino Pilla
Art Director   Paolo Bianchini
Copywriter   Elisa Maino
Fotografo   Paolo Bianchini

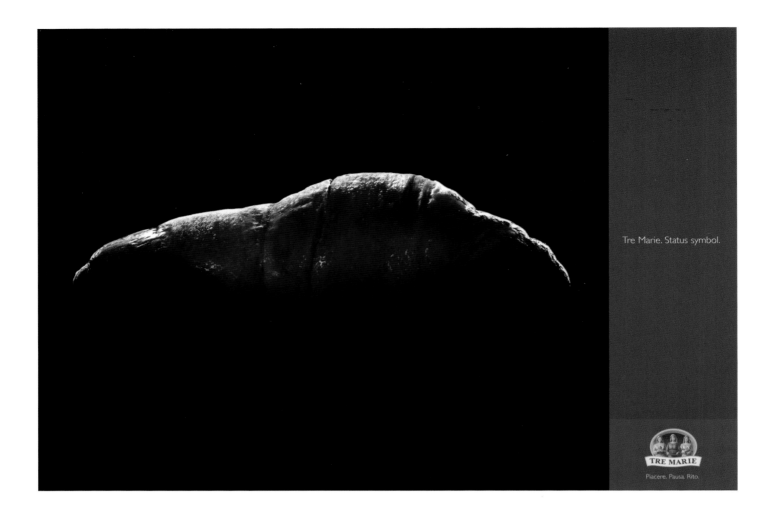

Tre Marie. Status symbol.

TRE MARIE

Piacere. Pausa. Rito.

Chiedeteci pure la luna.

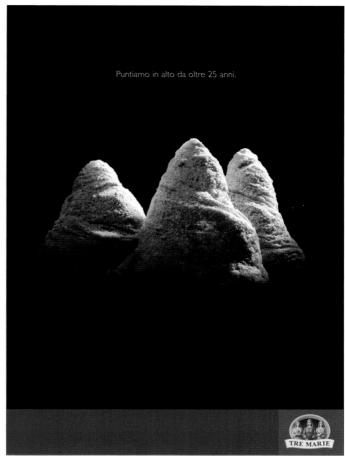

Puntiamo in alto da oltre 25 anni.

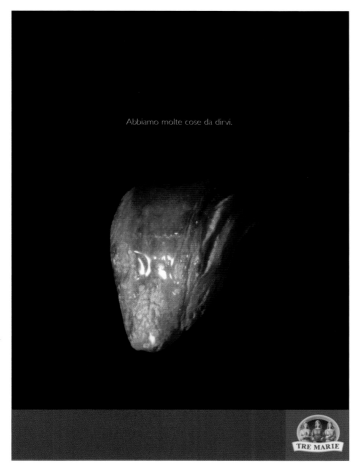

Abbiamo molte cose da dirvi.

Headline

You can even ask us for the moon.
We have been at the top for 25 years.
Our products have many things to say.

Cliente   Tre Maire - Barilla
Creative Director Lorenzo Marini
Art Director   Mauro Maniscalco
Copywriter   Elisa Maino
Fotografo   Francesco Majo

 Alleanza Assicurazioni "Recruiting"

 Alleanza Assicurazioni "Scuola"

 IWhite

DUEMILASEI

I VISUAL SONO COME DIAMANTI: hanno molte facce. Poliedrici come i mezzi che li ospitano sanno adattarsi alle varie situazioni, alle variazioni della luce e del buio. Tutto, pur di piacere agli occhi di chi guarda. I visual del futuro saranno progettati per lavorare su molti piani. Dalla stampa e dal manifesto, dove massima è la sintesi, alla televisione, accompagnati dal sonoro di note e voci, diventano tridimensionali sul web. D'ora in poi, non ci sarà più una comunicazione che non farà i conti col web. Povera Internet, ancora adattata alla meno peggio con annunci stampa! Eppure alcuni siti superano già la televisione: Volvo, Campari, Diesel. Persino la parola deve cambiare pelle, quando parla sul web: il 50% dei siti visitati viene abbandonato entro dieci secondi. Tutto, subito. Altro che percorsi a imbuto, architetture barocche, discorsi verbosi, lungaggini non necessarie. Il nuovo internauta vuole l'immediatezza, la sintesi, il visual che lo intrattenga. Pena il tradimento.

Nel 2006 la nostra agenzia, tradizionalmente orientata alla sola advertising classica, cambia visione e partecipa significativamente una delle più interessanti web agency. Le dieci persone di Emme3W raggiungono le venti di Lorenzo Marini & Associati. Inizia l'era della comunicazione multi-fronte. Inizia un anno della crescita in seguito ad acquisizioni di tutto rispetto. Torna anche Andrea Massimello e apre la sede di Torino.

Alleanza Assicurazioni, leader nel ramo vita, invita le cinque migliori agenzie italiane e non capiamo come noi siamo nella rosa. Ma grazie lo stesso. Dopo tre settimane rimaniamo in finale con Armando Testa. Vince l'ironia che spiega il prodotto, Polizza D'Oro. Vince una multisoggetto con gli agenti a scuola dal professor Dario Vergassola. Vincere il mercato che crescerà del 15% anno negli incrementi di polizze.

Nel settore farmaceutico ci viene affidato lo sbiancante per denti IWhite per Chefaro. Il visual è un sorriso che illumina.

Nel settore moda arriva Caractére, il marchio di punta del gruppo Miroglio. Il visual racconta l'imperfezione, una calza smagliata, una collana rotta, una borsa senza manico perché "L'eleganza è liberarsi dalla perfezione".

Il prodotto c'è, come da richiesta, ma il visual ferma l'attenzione sull'imperfetto e racconta il carattere indipendente e fuori dal coro della donna Caractére.

Nel settore dell'automobile arriva Carglass, per cui raccontiamo il dramma del parabrezza rotto senza drammi. Il visual è l'attimo del problema e l'attimo della promessa assieme, prima che un piccolo screzio diventi una rottura.

Nel settore alimentare lanciamo il gelato di Tre Marie. Un anello o una collana, che i visual sono nati per elevare i prodotti da merce a segno e da segno a sogno. Nel settore finanziario, General Electric presenta la sua banca che rifinanzia i prestiti. Per ogni oggetto che desideriamo, casa, auto o TV al plasma, c'è sempre la leggerezza della rateizzazione. Il visual è come un marchio, timbro tridimensionale sovrapponibile ad ogni oggetto del desiderio umano.

Nel settore dei servizi il testo è il visual e il rigore è l'approccio giusto per riposizionare l'Università IULM verso la logica e la scientificità, che non possono bastare un paio di veline per adombrare anni di lavoro ben fatto e una storia di tutto rispetto.

Nel settore dello spettacolo iniziamo con il Teatro della luna, ora Allianz, con Cabaret, il musical di maggior successo in Italia, grazie ad un Saverio Marconi in gran forma e ad una Hunziker al top della sua notorietà mediatica.

Nel settembre del 2006 Lorenzo Marini viene inserito nel libro Ritratti tra i venti innovatori italiani dell'anno, seguito dalla mostra fotografica di Cristina Pica. Visual tra venti bellissimi visuals.

Ecco volato in un attimo un altro anno di idee, posizionamenti e vittorie. Visual che parlano, che si adattano, che suggeriscono. Tanti quanti sono i linguaggi delle marche, infiniti quanti i desideri dei consumatori.

VISUALS ARE LIKE DIAMONDS: they are multi-faceted. Polyhedral like the media in which they are run, they are capable of adjusting to different situations, to variations of light and darkness. Anything is permitted in order to please the eyes of the spectator. The visuals of the future will be designed to work on multiple planes. From press and poster, where succinctness is at a premium, to television, where they are accompanied by music and voices, and on to their three-dimensional identity on the web. From now on, all communications have to consider the question of web identity. So often, the Internet is dealt with by simply posting the press releases! But some websites have already overtaken television: Volvo, Campari, Diesel. Even copy has to be considered differently when the words are for the web: 50% of sites visited are abandoned after ten seconds. The keywords have to be: everything, straight away. There is no room for bottle-neck navigation, Baroque architecture, wordy texts, unnecessarily verbose descriptions. Today's internauts want immediacy, succinct information, an intriguing visual. Otherwise they're off.

In 2006, our agency, traditionally dealing with purely classical advertising, changed its vision and acquired a significant holding in one of the most interesting web agencies. The ten people working at Emme3W joined the twenty at Lorenzo Marini & Associati. The age of multi-channel communications began. This was the year of growth, following the acquisition of important accounts. Andrea Massimello open the agency in Turin. Alleanza Assicurazioni, with a leadership position in life insurance, invited the five top Italian agencies to run, and we could not understand why we were included in the shortlist. Thanks nonetheless. After three weeks we were in the finals with Armando Testa. The winner was the irony with which the product, Polizza D'Oro (gold policy), was explained. The winner was a multiple subject featuring agents at school with professor Dario Vergassola. It won on the market as well, with a 15% increase in the number of policies for the year.

In the pharmaceuticals sector, we were entrusted with the teeth-whitener IWhite for Chefaro. The visual was a dazzling smile. In the field of fashion, we saw the arrival of Caractère, the Miroglio group's top brand. The visual is about imperfection, a stocking with a run, a bag missing a handle, because "Elegance is freedom from perfection." The product is there, as requested, but the visual locks the attention onto imperfection and tells the story of the independent, unorthodox character of the Caractère woman. In the automobile sector, we received the Carglass account, and for them we told the story of a broken windscreen that did not have a traumatic ending. The visual is both the moment of the problem and the moment of the promise, before a crack becomes a shattered screen.

In the foods sector, we launched Tre Marie ice-cream. A ring or a necklace: visuals are created to lift products from merchandise to motif, and from motif to dream.

In the financial sector, General Electric presented its bank that refinances loans. Whatever it is that we want, whether home, car or plasma TV, there is always the chance of lessening the burden by paying in instalments. The visual is like a mark, a three-dimensional stamp that can be applied to any object that man could desire.

In the services sector, texts form the visuals, and severity was the right move in repositioning the IULM University onto a plane of logic and scientific approach. A couple of skimpily-clad girls would have been sufficient to mar years of good work.

In the entertainment sector, we started work for Teatro della Luna, now Allianz, with Cabaret, the most successful musical in Italy, thanks to Saverio Marconi in top form and Michelle Hunziker at the height of her media fame.

In September 2006, Lorenzo Marini was included in the book Ritratti (portraits) as one of the twenty Italian innovators of the year, followed by the photography exhibition by Cristina Pica. A visual amongst twenty beautiful visuals. Another year of ideas, concepts, positioning and victories. Visuals that communicate, mould, suggest. As many visuals as there are brand languages, as infinite as consumers' desires.

caractère

Eleganza è liberarsi della perfezione.

caractère

Eleganza è liberarsi della perfezione.

Cliente	Caractère	
Creative Directors	Lorenzo Marini	
	Pino Pilla	
Art Director	Paolo Bianchini	
Copywriter	Alba Minadeo	
Fotografo	Max Cardelli	

Headline
Elegance is beyond perfection.

Prima che un piccolo screzio diventi una rottura.

CARGLASS Ripara il parabrezza.

Piccoli danni crescono.

CARGLASS Ripara il parabrezza.

Headline
Before a little crack becomes a broken windscreen.

Small holes get bigger.

Cliente	Carglass
Creative Directors	Lorenzo Marini
	Pino Pilla
Art Director	Mauro Maniscalco
Copywriter	Alba Minadeo
Fotografo	Alessandro Dalla Fontana

Tutti gli altri sono solo gelati.

Tutti gli altri sono solo gelati.

Cliente   Tre Marie
Creative Directors   Lorenzo Marini
    Pino Pilla
Art Director   Mauro Maniscalco
Copywriter   Paola Mazza
Fotografo   Francesco Majo

Headline
The others are just ice-cream.

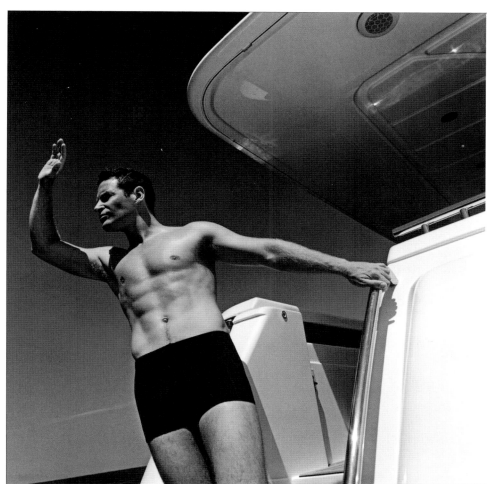

Ferretti.
Tranquillità forza nove.

Essere Ferretti. FERRETTI
YACHTS

Giriamo il mondo
in cerca di un tesoro,
senza sapere che lo troviamo in ogni istante.

Essere Ferretti. FERRETTI
YACHTS

Headline
Ferretti. Calm force nine.

We travel the world searching for a treasure,
without realizing that it can be found in any moment.

Cliente	Ferretti
Creative Directors	Lorenzo Marini
	Pino Pilla
Art Director	Lorenzo Marini
Copywriter	Alba Minadeo
Fotografo	Christian Coigny

Cliente	GE Money Bank	
Creative Directors	Lorenzo Marini	
	Pino Pilla	
Art Director	Paolo Bianchini	
Copywriter	Elisa Maino	
Fotografo	Alessandro Dalla Fontana	

Headline
Lighten your monthly payments.

Enjoy your Trudi side.

Cliente   Binda - Trudi
Creative Directors   Lorenzo Marini
                           Pino Pilla
Art Director   Paolo Bianchini
Copywriter   Elisa Maino
Fotografo   Diego Zitelli

SINGLE PRIDE.

FELISI
BAGS & BELTS

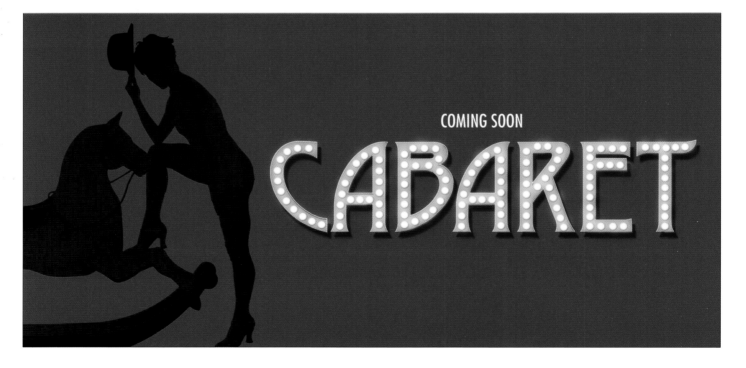

COMING SOON
CABARET

Cliente	Felisi	**Cliente**	Teatro della Luna
Art Director	Lorenzo Marini	**Creative Director**	Lorenzo Marini
Copywriter	Elisa Maino	**Art Director**	Gigi Pasquinelli
Fotografo	Daniele Rossi	**Fotografo**	Enrico Vallin

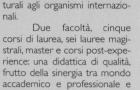

IL FUTURO VA VERSO LA IULM. E VICEVERSA.

Il mondo contemporaneo è caratterizzato da un sistema di relazioni di straordinaria complessità che richiede elevate capacità di comunicazione per essere compreso e gestito. Per questo, i futuri professionisti della comunicazione devono essere culturalmente preparati, tecnicamente specializzati e allenati a comprendere rapidamente i cambiamenti di una società in continua evoluzione.

Sono questi gli strumenti che si acquisiscono alla IULM, la prima e unica università italiana di lingue e comunicazione.

Nata nel 1968 come università di lingue, la IULM, nei primi anni settanta è stata la prima ad intuire che era ormai indispensabile formare specialisti nelle discipline della comunicazione. Oggi la IULM, forte della sua storia e della sua capacità di rinnovarsi, risponde alle molteplici esigenze di un mercato complesso che spazia dagli enti pubblici alle imprese, dalla televisione all'arte, dai beni culturali agli organismi internazionali.

Due facoltà, cinque corsi di laurea, sei lauree magistrali, master e corsi post-experience: una didattica di qualità, frutto della sinergia tra mondo accademico e professionale e delle relazioni con prestigiose università internazionali.

Un Campus tecnologicamente avanzato che dà spazio allo studio, alla sperimentazione e alla ricerca scientifica. Un luogo di aggregazione, con spazi abitativi per studenti non residenti e borse di studio per i più meritevoli.

Un sistema consolidato di relazioni tra l'Università, la Fondazione IULM, l'Associazione Laureati, il territorio e la business community.

Iscriversi alla IULM significa laurearsi nei tempi, effettuare stages, studiare all'estero e trovare lavoro rapidamente.

Lorenzo Marini & Associati

IULM UNIVERSITA

L'EVOLUZIONE DELLA LAUREA.

www.iulm.it

I LAUREATI IULM CHE TROVANO LAVORO ENTRO UN ANNO DALLA LAUREA SONO IL 14% IN PIÙ RISPETTO A QUELLI DELLE ALTRE UNIVERSITÀ.

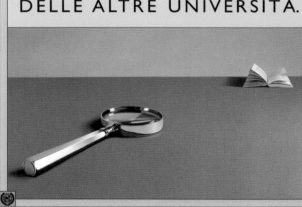

Frequentano le lezioni, ricercano e sperimentano in laboratori specializzati, hanno ottime conoscenze informatiche, studiano all'estero, effettuano stages e si laureano nei tempi. E' il profilo degli studenti IULM che, motivati e preparati, nel 69% dei casi trovano lavoro entro un anno dalla laurea (+ 14% rispetto alla media nazionale)* occupando posizioni attinenti e adeguate agli studi effettuati.

Gli ambiti professionali dei laureati IULM spaziano dalle imprese multinazionali ai mercati dell'arte, dalle associazioni non profit, alla pubblica amministrazione, fino alle redazioni giornalistiche.

Nata nel 1968 come Università di lingue, la IULM, nei primi anni settanta è stata la prima a intuire che era ormai indispensabile formare figure specializzate nelle discipline della comunicazione. Oggi l'Università IULM, forte della sua storia e della sua capacità di rinnovarsi, rappresenta un *unicum* nel panorama italiano e offre percorsi formativi differenziati per rispondere in modo adeguato alla domanda, molto diversificata, dei mondi della comunicazione.

Due sedi, Feltre con il corso di laurea in Relazioni pubbliche e pubblicità e Milano con due facoltà, cinque corsi di laurea, sei lauree magistrali, master e corsi post-experience: una didattica di qualità, frutto della sinergia tra mondo accademico e professionale e delle relazioni con prestigiose università internazionali.

Due Campus: uno a Milano, tecnologicamente avanzato che dà spazio allo studio, alla sperimentazione e alla ricerca scientifica e uno, altrettanto innovativo e funzionale, di prossima apertura a Feltre.

Per illustrare l'offerta formativa l'Università IULM organizza, presso la sua sede di Feltre, due open day: sabato 10 giugno e sabato 9 settembre alle ore 11.00. Per informazioni infofeltre@iulm.it oppure tel. 0439 888215.

* Fonte Almalaurea

IULM UNIVERSITA

L'EVOLUZIONE DELLA LAUREA.

www.iulm.it

Headline
The future is going towards IULM. And vice-versa.

14% more IULM graduates find employment within a year of graduation than those from other universities.

Cliente   IULM
Art Director   Lorenzo Marini
Copywriter   Pino Pilla
    Elisa Maino
Graphic Design   Mauro Maniscalco

Viaggi e oltre.

		Headline
Cliente	In the World	Travel and more.
Creative Directors	Lorenzo Marini	
	Pino Pilla	
Art Director	Paolo Bianchini	
Copywriter	Elisa Maino	
Fotografo	Moreno Monti	

Salire a bordo. Sentirsi a casa.

Vivere il mare con tutti i comfort di una villa esclusiva. Nasce Ferretti Altura 840, la perfetta sintesi tra aft-cabin e flying bridge. Per chi considera il mare un modo di vivere.

Headline
Come on board. Feel at home.

Cliente	Ferretti
Creative Directors	Lorenzo Marini
Art Director	Mauro Maniscalco
Copywriter	Elisa Maino
Fotografo	Paolo Franco

Orogel

Dreher

Equilon

DUEMILASETTE

L'ANNO PARTE con un visual molto bello: la più prestigiosa rivista europea Campaign dedica un numero speciale alle agenzie indipendenti del mondo. Per l'Italia viene scelta la nostra. Non siamo diventati rossi di orgoglio, ma rossi di timidezza. Troppo successo imbarazza e noi vogliamo restare semplici artigiani, gente senza fronzoli che fa di questo lavoro un luogo di ricerche e felicità. Quantità a colpi di qualità. Che il visual è e deve essere un manufatto in bilico tra arte e marketing, tra poesia e mercanzia. Può essere tutto di parole (come Alcantara istituzionale) o tutto di sensualità e snob appeal (con Alcantara prodotto) purché lo straordinario entri nel quotidiano. Può essere una donna-oliva purché la componente semantica tra prodotto e consumatore sia presente, come lo è per Mediterranea. Un'oliva o una donna, purché sia extra vergine. Può essere il ritorno agli Anni '80 per Dreher, la birra che ha il gusto come il suo nome. "Che gusto? Gusto Dreher".

Può essere un prodotto-affetto che ironicamente sostituisce un uomo a letto con una donna per Felisi bags, o una barca così personalizzata che ogni armatore diventa prima di tutto scultore, pittore o designer, come succede per Custom Line di Ferretti. Può essere uno scorpione di chicci di caffè che entra come un aroma forte nel naso di chi usa le caffettiere Stella Aroma. O può essere la storia parallela di una donna in cucina con un contadino in campagna per il buon minestrone Orogel, dove prodotto e azienda si fondono in un unico visual emotivo, sulle note perfette di Mariella Nava.

Può essere lo scanzonato e divertente dialogo della coppia comica Bove-Limardi per i prestiti al consumo Equilon, che al solo cambio di messaggio Tv incrementerà le telefonate del 54% nel primo mese. E poi qualcuno dice che la creatività non vende. Bugiardi. La creatività serve a risparmiare denaro, visto che si può anche essere banali ma bisogna essere molto ricchi, che la frequenza costa.

THE YEAR BEGAN with a wonderful visual: Europe's most prestigious magazine, Campaign, dedicated a special issue to independent agencies throughout the world. And for Italy, they chose our agency. We did not go red from pride, but from shyness. Too much success is intimidating, and we want to remain craftsmen, people without pretensions who make this job an environment of research and happiness.

Quantity and quality. Because the visual is, and must be, an item halfway between art and marketing, between poetry and merchandise. It may be made of words (like corporate Alcantara) or of sensuality and snob appeal (like Alcantara the product), provided the extraordinary becomes part of our daily lives. It may be a woman-olive provided the semantic component linking the product and the consumer is present, as it is for Mediterranea. An olive or a woman, but always extravirgin. It may be a return to the Eighties for Dreher, the beer whose name is taste. It may be a product-affection that ironically replaces a man in bed with a woman for Felisi bags, or a boat that is so customised that every boat-owner becomes first and foremost a sculptor, painter or designer, like Custom Line from Ferretti. It may be a scorpion of coffee beans that enters like a strong aroma into the nostrils of someone using a Stella Aroma coffee-pot. Or the parallel story of a woman in the kitchen and a farmer in the country for good Orogel ministrone, where the product and the farm merge in a single emotional visual, to the perfect notes of Mariella Nava.

It may be the relaxed and entertaining dialogue of the comic duo Bove-Limardi for Equilon consumer loans, which caused telephone calls to increase by 54% in the first month after the TV ad changed. And then people say that creativity does not sell. Liars. Creativity helps to save money, since you can also be banal, but in this case you have to be very rich as frequency is expensive.

PER FARE QUESTO ANNUNCIO CI ABBIAMO MESSO UN ANNO.

Quando ci hanno detto che ogni persona assunta in Alcantara (azienda) ci impiega più o meno un anno per capire l'Alcantara (prodotto) ci siamo un po' spaventati. Che Alcantara sia un fatto unico nel nostro mondo ci è risultato subito evidente. Ma come spiegare a voi, adesso, cosa è l'Alcantara e perché dovreste preferirla alla pelle, al cotone, al lino, al velluto o ad altri rivestimenti? Intanto cosa è, anche se sarebbe più facile dire cosa non è. Non è una microfibra, né un semplice tessuto tecnico, né una nanofibra, né una tecnopelle. Rispetto alla pelle è più sensuale, morbida, resistente e specialmente traspira, come fosse viva. Questo spiega perché le più importanti case automobilistiche rivestono i loro sedili con l'Alcantara. Rispetto al cotone e al lino è più resistente, più forte, più vellutata ma come il cotone e il lino si può lavare e stirare. Bello, no? E pensare che non lo sa nessuno. Per questo alcuni rivenditori di divani non la consigliano nemmeno, mentre noi sappiamo che durerà tutta una vita. E per finire, il terzo settore di applicazione: la moda. Mentre le povere ed economiche microfibre dopo un po' si usurano e i velluti si consumano, la vera Alcantara non fa l'odiatissimo pilling, dura di più ed è facilissima da pulire, tanto che basta buttarla in lavatrice a 40 gradi. Per questo con l'Alcantara si fanno stivali, trench, borse, giacche e persino i copricellulare. Insomma, Alcantara è un paradosso. Delicato come una pelle scamosciata ma forte come una pelle selezionata, sensuale come un velluto ma pratico come un cotone. Per quelli che lanciano le mode (Cappellini sta proponendo la sua ultima collezione con il nostro strano materiale) ma anche per coloro che non sopportano la fragile durata del trendy, destinato a dissolversi come una goccia di rugiada nella foglia del buon gusto, perché l'Alcantara durerà tutta una vita. E anche oltre. Per questo un anno - il tempo di scrivere questo annuncio - sembra un attimo a confronto di chi sfida il tempo. Scusate il disturbo. Lorenzo Marini

---

Cliente Alcantara
Art Director Lorenzo Marini
Copywriter Lorenzo Marini

Headline
It took us a year to make this advertisement.

Lo straordinario entra nel quotidiano.

Inspiration. Aspiration.

Headline
Extraordinary becomes part of everyday life.

Cliente Alcantara
Creative Director Lorenzo Marini
Art Director Mauro Maniscalco
Copywriter Alba Minadeo
Fotografo Thomas Krappitz

Bellezza extravergine.

La bellezza nasce dalla natura, proprio come l'olio.
E dai laboratori di Linea Mediterranea nascono soluzioni cosmetiche naturali.
Potrai ricevere, comodamente a casa tua, tutti i nostri cosmetici.

800535454   www.lineamediterranea.it   >Richiedi il catalogo.

LINEA
MEDITERRANEA
i cosmetici ai principi attivi dell'olio di oliva.

Cliente	Carli - Linea Mediterranea
Creative Director	Lorenzo Marini
Art Director	Paolo Bianchini
Copywriter	Alba Minadeo
Fotografo	LSD
Headline	Extravirgin beauty.

SE VI SIETE PERSI WOODSTOCK NEL '69, IL LIVE AID NELL'85 E IL LIVE EARTH DI LUGLIO, OGGI POTETE RIFARVI.

MEN ARE NOT ALLOWED.

FELISI
BAGS & BELTS

Cliente	Dreher		Cliente	Felisi
Creative Director	Lorenzo Marini		Art Director	Lorenzo Marini
Art Director	Mauro Maniscalco		Copywriter	Elisa Maino
Copywriter	Elisa Maino		Fotografo	Daniele Rossi
Fotografo	Alessandro Dalla Fontana			
Headline	If you missed Woodstock in 1969 and			
	Live Aid in 1985, it's time for making up.			

Facciamo parte di un disegno più grande, ma possiamo sceglierne i particolari.

CUSTOM LINE
BE UNIQUE, BEING FERRETTI

Facciamo parte di un disegno più grande, ma possiamo sceglierne i particolari.

CUSTOM LINE
BE UNIQUE, BEING FERRETTI

Cliente   Custom Line
Creative Director   Lorenzo Marini
Art Director   Mauro Maniscalco
Copywriter   Alba Minadeo
Fotografo   Marco D'Anna

Headline
We are all part of a greater picture.
It's up to you to choose the details.

Cliente   Stella
Creative Director   Lorenzo Marini
Art Director   Paolo Bianchini
Copywriter   Elisa Maino
Fotografo   LSD

caractère

Eleganza tra le righe.

caractère

Eleganza tra le righe.

Cliente   Caractère
Creative Director Lorenzo Marini
Art Director   Paolo Bianchini
Copywriter   Alba Minadeo
Fotografo   Max Cardelli

Headline
Elegance between the lines.

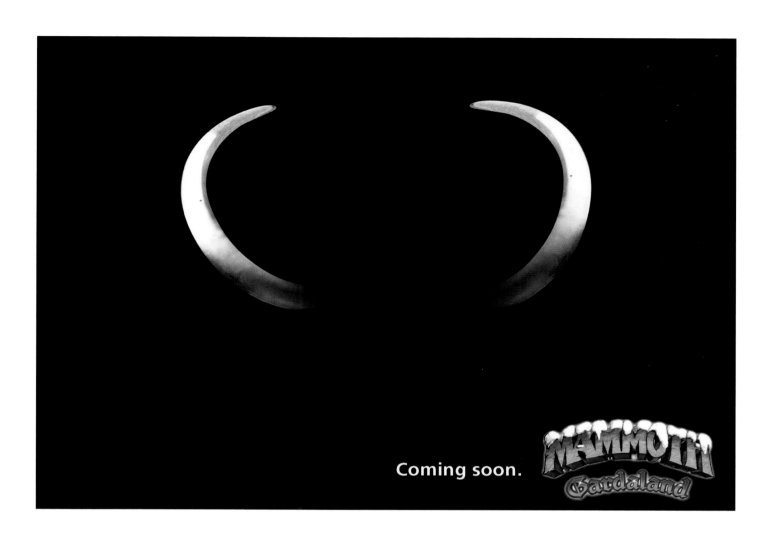

Coming soon.

Cliente	Gardaland
Creative Director	Lorenzo Marini
Art Director	Mauro Maniscalco
Copywriter	Elisa Maino

E=Mc Power.

www.mcpower.it · Numero Verde 800.22.11.33

Sport
McPower
TONICO ENERGIZZANTE

McPower Sport è il tonico energizzante subito assimilabile.
Contro l'affaticamento, lo stress e l'iperlavoro. In farmacia.

Cliente	Mc Power Sport
Creative Director	Lorenzo Marini
Art Director	Gigi Pasquinelli
Copywriter	Stefania Dotti

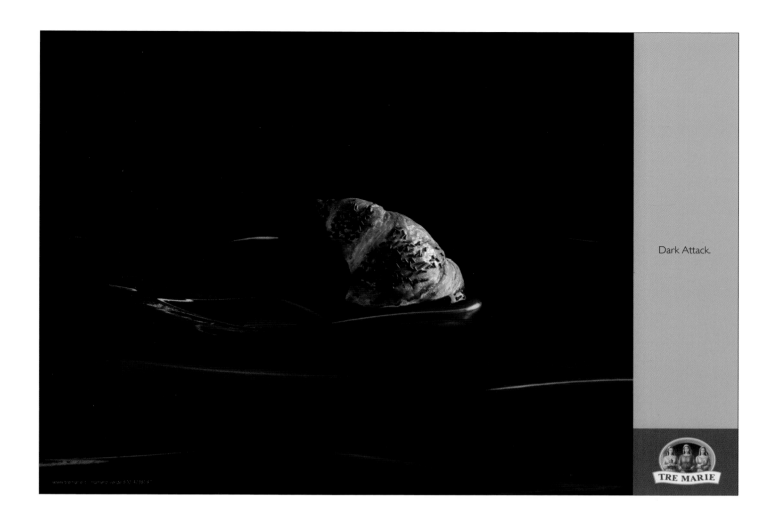

Dark Attack.

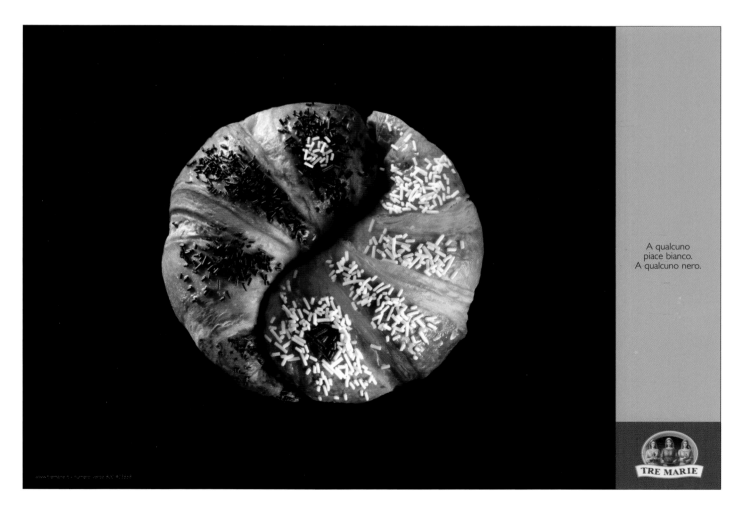

A qualcuno
piace bianco.
A qualcuno nero.

Headline
Someone likes it white. Someother black.

Cliente   Tre Marie
Creative Director   Lorenzo Marini
Art Director   Mauro Maniscalco
Copywriter   Alba Minadeo
Fotografo   Alessandro Giuzio

Gardaland

Orogel

Equilon

DUEMILAOTTO

DIECI ANNI DOPO, dieci anni di un'agenzia creativa, indipendente, italiana. Dieci anni di proposte di acquisto di quasi tutti i gruppi finanziari del mondo. No, grazie. Questo è un lavoro artigianale e a capo di questa agenzia c'è un art director che ha intenzione di lavorare ancora come tale.

Dieci anni di premi, un centinaio, molti dei quali internazionali, praticamente tutte le campagne prodotte sono state segnalate, notate, premiate.

Dieci anni con clienti fedeli e infedeli, con gare vinte (molte) e perse (qualcuna), con una ricerca assoluta alla qualità. Dieci anni senza tanti compromessi. Siamo diventati grandi senza diventare grassi.

Apparteniamo ora ad un network, The Network One, di agenzie indipendenti come la nostra, ma più grandi, che nei mercati del mondo essere locali ha un'importanza che da noi non viene riconosciuta e apprezzata. E siamo ora un gruppo di ottanta persone, che il visual non è più solo orizzontale ma verticale. Non più solo advertising ma below the line, web, pr e media. Che il futuro sarà ricomporre il triangolo mezzi, account, creativo e a scapito del duopolio account-creativi. Trentacinque di Menabò per il below, dieci di Emme3W per il web, cinque per TailorMedia per i mezzi, cinque Harvest per le relazioni pubbliche, venti per l'agenzia LorenzoMarini&Associati tra creativi e account. Un piccolo esercito per una grande comunicazione integrata, che ci colloca ai primi posti tra le agenzie full service e tra i primissimi gruppi tra le indipendenti.

E il mercato se ne accorge. Veniamo premiati da ADV e NC come l'agenzia dell'anno, Davide contro Golia.

Ma ancora di più veniamo premiati dal mercato. Ci sceglie Glenfield, marchio di maglieria che con noi ridisegna il logotipo, il below the line, l'advertising e i punti vendita. Ci sceglie Lefay SPA e Resort che ribalta il concetto di Hotel con SPA a favore di una SPA-centrica con hotel. Ci sceglie ERG per lo start up del nuovo servizio ERG Mobile nel superaffollato campo della telefonia con un innovativo progetto.

Ci sceglie Orogel con uno spot segmentato sul Buon Minestrone: da una parte la tradizione e dall'altra l'innovazione di mezzo e messaggio assieme.

Ci sceglie Gardaland per il lancio della nuova attrazione Mammut, un fantastico percorso nei ghiacci polari magistralmente raccontato dal solito Dario Piana.

E ci scelgono specialmente i consumatori che premiano con i loro acquisti le marche creative. Che ormai siamo arrivati al bivio: comunicare o sparire, essere visual o essere nulli. Che nel cuore dei nostri clienti si fissano solo le immagini che hanno toccato la mente. Visual, appunto. Grazie per l'attenzione, per queste pagine e per questi dieci anni.

TEN YEARS LATER, ten years in the life of a creative, independent, Italian agency. Ten years of purchase offers from nearly all the financial groups of the world. No, thank you. This is a hand-crafted job, and this agency is led by an art director who wishes to carry on in that position. Ten years of prizes, about a hundred, many of which international. Practically all the campaigns have been commended, noticed, awarded prizes. Ten years with faithful and unfaithful clients, competitions won (many) and lost (a few), maintaining an unfailing quest for quality. Ten years without much compromise. We have become great without becoming fat.

We are now part of a network, The Network One, comprising agencies that are independent like us, but larger, which in worldwide markets has an importance that in Italy is not recognized or appreciated. Now our group comprises about eighty people, and the visual is not just horizontal, but vertical as well. Not just advertising, but below the line, web and media. In the future the triangle of media, account executive and creative director will be reorganized, leaving behind the two-pole account executives-creative directors. Thirty people at Menabò for below-the-line, ten at Emme3W for the web, five at TailorMedia for media, twenty at the LorenzoMarini&Associati agency, comprising creative directors and account executives. A small army for great integrated communication, amongst the top few in the area of full service agencies, and one of the leading independent groups.

And the market notices. We are rewarded by ADV and NC as the agency of the year, David and Goliath.

But more than anything we are rewarded by the market. We are chosen by Glenfield, the knitwear brand, which designs its new logo, below-the-line, advertising and points of sale with us. We are chosen by Lefay SPA and Resort which reverses the concept of the Hotel with a spa in favour of the Spa centre with a hotel. We are chosen by ERG for the start-up of the new ERG Mobile service in the fragmented telephone market with an innovative project.

We are chosen by Orogel with a segmented ad for Buon Minestrone: tradition on one side, and the innovation of the medium and the message together on the other.

We are chosen by Gardaland to launch the new Mammut attraction, a fantastic ride through the polar ice, narrated in masterly fashion by Dario Piana.

And above all, we are chosen by consumers, who reward our creative brands with their purchases. These brands are now at a crossroads: communicate or vanish, be visual or be nothing. Because only images that touch the mind will touch the hearts of our clients. Visual in other words. Thank you for your attention, for these pages and for the last ten years.

Lo straordinario entra nel quotidiano.

Cliente   Alcantara.
Creative Director   Lorenzo Marini
Art Director   Mauro Maniscalco
Copywriter   Alba Minadeo
Fotografo   Thomas Krappitz
Headline   Extraordinary becomes part of everyday life.

FELISI
BAGS & BELTS

Il lusso è in buone mani.

FELISI
BAGS & BELTS

L'unico modo
per rendere felice una donna.

Headline
Luxury is in good hands.

The only way to make a woman happy.

Cliente	Felisi
Creative Director	Lorenzo Marini
Art Director	Gigi Pasquinelli
Copywriter	Camilla Salerno
Fotografo	Alessandro Dalla Fontana

Esistono luoghi in cui tutti vorrebbero
nascere ma solo alcuni ci riescono.

Nuovo Lefay Resort & SPA Lago di Garda.
Il primo della collezione.

A Gargnano, uno degli angoli più suggestivi del Garda,
nel cuore della Riviera dei Limoni,
nasce Lefay Resort & SPA Lago di Garda.
Finalmente lusso, benessere e natura in un unico luogo.

Esistono luoghi dove il benessere è in ogni senso.

Nuovo Lefay Resort & SPA Lago di Garda.
Il primo della collezione.

Con Lefay Resort & SPA Lago di Garda nasce una nuova filosofia di vacanza.
Una vacanza pensata per farvi stare bene sempre e ovunque:
dalla SPA alla tavola, dal parco alla piscina, dagli ambienti all'ambiente.
Finalmente lusso, benessere e natura in un unico luogo.

Cliente   Lefay Resorts
Creative Director   Lorenzo Marini
Art Director   Paolo Bianchini
Copywriter   Elisa Maino
Fotografo   Studio Mozart

Headline
There are places where everybody would like to grow up,
but only a few actually do.

There are places where all of the senses are pampered.

Era il 1968, mentre il mondo cambiava Norberto Ferretti lanciava la sua sfida al mare. Da quel giorno sono passati quarant'anni. Quarant'anni di miglioramento continuo, quarant'anni di impegno e di passione, quarant'anni di imbarcazioni sempre più innovative, performanti, tecnologiche e sicure. Era il 1968. Da quel giorno il mare non è più stato lo stesso.

Nel 1968 qualcuno ha cambiato il mondo.
Qualcun altro il mare.

40

FERRETTI
YACHTS
a Ferretti brand

Pochi piedi sopra il livello del mare.
Centinaia di miglia davanti a tutti.

FERRETTI
YACHTS
a Ferretti brand

Headline
In 1968 someone changed the world. Someone else changed the sea.

Feet above the sea. Oceans ahead of the rest.

Cliente	Ferretti Yachts
Creative Director	Lorenzo Marini
Copywriter	Elisa Maino
Fotografo	Christian Coigny

Le nostre opere più belle portano sempre la vostra firma.

CUSTOM LINE
BE UNIQUE, BEING FERRETTI

50% WOOL, 50%MARTINA, 100%GLENFIELD.

GLENFIELD®

Cliente	Custom Line	**Cliente**	Glenfield
Creative Director	Lorenzo Marini	**Creative Director**	Lorenzo Marini
Art Director	Mauro Maniscalco	**Art Director**	Paolo Bianchini
Copywriter	Elisa Maino	**Copywriter**	Elisa Maino
Fotografo	Marco D'Anna	**Fotografo**	Gianmarco Chierigato
Headline	Our greatest masterpieces carry your signature.		

Yin e Yang.

BAGS & BELTS

Cliente   Felisi
Art Director   Gigi Pasquinelli
Copywriter   Lorenzo Marini
Fotografo   Alessandro Dalla Fontana

ERG Mobile

UDC

DUEMILANOVE

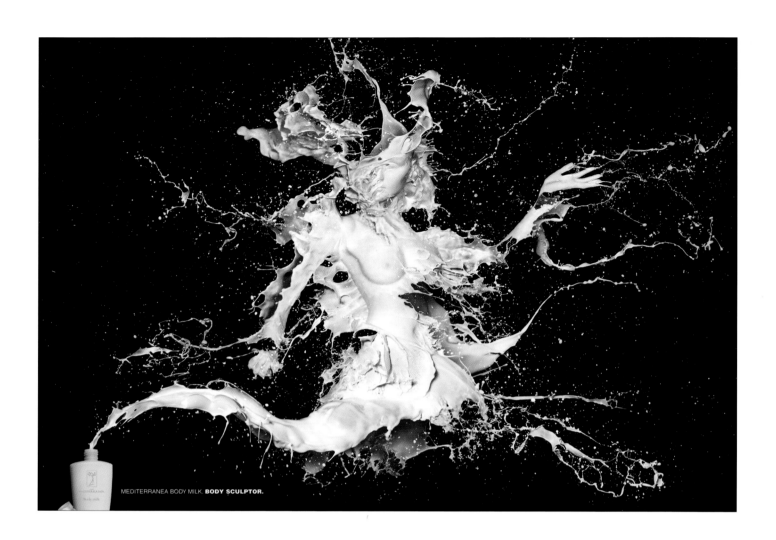

MEDITERRANEA BODY MILK. **BODY SCULPTOR.**

Cliente	Mediterranea
Creative Director	Lorenzo Marini
Art Director	Paolo Bianchini
Copywriter	Elisa Maino
Fotografo	Piergiorgio Rozza

Cliente	Heineken - Dreher
Creative Director	Lorenzo Marini
Art Director	Gigi Pasquinelli

50%TESTA, 50%CUORE, 100%GLENFIELD.

GLENFIELD

50%TESTA, 50%CUORE, 100%GLENFIELD.

GLENFIELD

Cliente	Glenfield
Creative Director	Lorenzo Marini
Art Director	Paolo Bianchini
Copywriter	Elisa Maino
Fotografo	Alessandro Zeno
Headline	50% brain, 50% heart, 100% Glenfield.

Cliente   UDC
Soggetto   Teaser
Art Director   Lorenzo Marini
Copywriter   Lorenzo Marini
Illustratore   Giannelli / Meiklejohn

Headline
Stop political wrangling.
The difference is, we believe in these values.

UN DISEGNO COMUNE.

Da sempre crediamo
nella famiglia.
La famiglia per garantire
ai nostri figli un futuro migliore.
La famiglia per cambiare
il nostro Paese.
La famiglia per uscire
insieme dalla crisi.
Perché c'è un estremo bisogno
di valori veri.
Perché c'è un estremo
bisogno di centro.

CASINI
LIBERTAS
UNIONE DI CENTRO

L'ESTREMO CENTRO.

UN DISEGNO COMUNE.

Da sempre crediamo
nella famiglia.
La famiglia per garantire
ai nostri figli un futuro migliore.
La famiglia per cambiare
il nostro Paese.
La famiglia per uscire
insieme dalla crisi.
Perché c'è un estremo bisogno
di valori veri.
Perché c'è un estremo
bisogno di centro.

CASINI
LIBERTAS
UNIONE DI CENTRO

L'ESTREMO CENTRO.

Headline
Unified Design in Common.

Cliente   UDC
Art Director   Lorenzo Marini
Copywriter   E. Maino / G. Pagano
Graphic Design   Gigi Pasquinelli
Fotografo   Gian Paolo Barbieri

L'OTTIMISMO PREVEDE UN DURO LAVORO.

ESSERE OTTIMISTI
OGGI NON SIGNIFICA
CREDERE SEMPLICEMENTE
CHE SARÀ POSSIBILE
USCIRE DALLA CRISI.
SIGNIFICA PIUTTOSTO
TRASFORMARE QUESTA
CRISI IN OPPORTUNITÀ
DI CAMBIAMENTO:
NON SOLO IN TERMINI
DI RIFORME DEL
SISTEMA, MA ANCHE
DI RESPONSABILITÀ.
CHI, COME NOI,
NON REPUTA IL LAVORO
COME UN DIRITTO
ACQUISITO, SA CHE SOLO
ATTRAVERSO L'IMPEGNO
E I SACRIFICI POSSIAMO
LASCIARCI LA CRISI
ALLE SPALLE, SENZA FARLA
RICADERE SU QUELLE
DEI NOSTRI FIGLI.

CNDCEC
I COMMERCIALISTI
UTILI AL PAESE.

WWW.CNDCEC.IT

Cliente — CNDCEC
Creative Director — Lorenzo Marini
Art Director — Mauro Maniscalco
Copywriter — Elisa Maino

VOGLIAMO DARE UNA MANO AL PAESE.
ANZI CENTODIECIMILA.

CREDIAMO NELL'UTILITÀ SOCIALE DEL PENSIERO TECNICO E CHE NON SIA QUESTO IL MOMENTO DI CHIEDERE, MA DI DARE. È DI METTERE AL SERVIZIO DELLA COMUNITÀ LA COMPETENZA, LA PROFESSIONALITÀ E L'ESPERIENZA DEI COMMERCIALISTI ITALIANI. POSSIAMO ESSERE UTILI AL PAESE PERCHÉ SIAMO PROFESSIONISTI. VOGLIAMO ESSERLO PERCHÉ SIAMO CITTADINI.

I COMMERCIALISTI
UTILI AL PAESE.

WWW.CNDCEC.IT

È TEMPO DI PENSARE AL FUTURO.

OGGI I NOSTRI FIGLI HANNO MOLTI DUBBI E UN'UNICA CONVINZIONE: CHE IN FUTURO STARANNO PEGGIO DEI LORO PADRI. IL FUTURO SI PUÒ, PERÒ, ANCORA CAMBIARE, CON REGOLE E SCELTE CHE INTERESSINO I NOSTRI FIGLI, FACENDO SACRIFICI OGGI PER FARNE FARE MENO A LORO DOMANI. TRASFORMANDO LA CRISI IN OPPORTUNITÀ E L'IMMOBILITÀ IN OTTIMISMO.

WWW.CNDCEC.IT

VOGLIAMO LAVORARE PER QUALCOSA,
NON CONTRO QUALCUNO.

CREDIAMO CHE SIA GIUNTO IL MOMENTO DI RAGIONARE COME UNA COMUNITÀ. SERVONO REGOLE CERTE, RIFORME DEL SISTEMA FISCALE E GIUDIZIARIO. SERVE UN PENSIERO TECNICO, IMPARZIALE, NON SCHIERATO CHE AFFIANCHI LE ISTITUZIONI; PER LAVORARE, NON PIÙ CONTRO QUALCUNO, MA A FAVORE DI TUTTI.

I COMMERCIALISTI
UTILI AL PAESE.

WWW.CNDCEC.IT

RAPPRESENTIAMO
UNA MINORANZA DEL 99,9%.

IN ITALIA LE PMI SONO IL 99,9% DELLA FORZA ECONOMICA, EPPURE VENGONO TRATTATE COME UNA MINORANZA. IL MONDO PRODUTTIVO E LE ISTITUZIONI FUNZIONANO SOLO GRAZIE ALLE LIBERE PROFESSIONI, EPPURE QUESTE ULTIME NON VENGONO PRESE IN CONSIDERAZIONE DAI POTERI FORTI. ESSERE UTILI AL PAESE SIGNIFICA CAMBIARE ANCHE QUESTI SQUILIBRI, MA SOPRATTUTTO LAVORARE PER LE COSE CHE CONTANO.

I COMMERCIALISTI
UTILI AL PAESE.

WWW.CNDCEC.IT

Headline
Optimism anticipates hard work.
We want to give the Country a hand. Actually, 110.000 hands.
It's time to think of the future.
We want to work towards something, not against someone.
We represent a minority of 99,9%.

PURO COTONE SU TELA.

ZUCCHI

Cliente   Zucchi
Creative Director   Lorenzo Marini
Art Director   Paolo Bianchini
Copywriter   Elisa Maino
Fotografo   Moreno Monti / Archivio

Headline
Pure cotton on canvas.

NUDO DI DONNA SU COORDINATO.

CAPOLAVORO NEOCLASSICO CON CUCITURA A VISTA.

Headline
Nude of woman on coordinates.
Neoclassical masterpiece with saddle stitching.

Abbiamo bellissimi progetti. Insieme a voi.

Servizi di investimento
Consulenza aziendale
Advisory immobiliare
Wealth planning
Family office

Stiamo costruendo una banca d'eccellenza, indipendente, solida in grado di crescere insieme ai propri clienti. Un nuovo modello di banca specializzata per la gestione del patrimonio, non solo finanziario, ma anche aziendale, immobiliare e familiare. Una banca che non vi propone prodotti ad alto rischio, ma servizi ad alta qualità.

◑ Banca **Profilo**
Face Value

"In una situazione complessa, la soluzione giusta è quella più semplice."
Ockham

Questa è anche la nostra filosofia. Da dieci anni infatti, a Reggio Emilia offriamo risposte semplici ai problemi complessi dei nostri clienti. Che ci hanno scelti per la nostra solidità e disponibilità e che oggi ci vedono come un punto di riferimento. Grazie a tutti loro per questo positivo decennio, con la promessa di continuare a crescere, insieme.

◑ Banca **Profilo**
Face Value

Offrire i migliori prodotti è solo uno dei nostri servizi.

Servizi di investimento
Consulenza aziendale
Advisory immobiliare
Wealth planning
Family office

Abbiamo creato una banca privata libera di dipendere solo dai propri clienti. Libera di offrire servizi di consulenza patrimoniale, finanziaria e aziendale, consigliandovi sempre solo il meglio. Anche in termini di prodotti di investimento.

◑ Banca **Profilo**
Face Value

Il denaro non è tutto.

Crediamo che i valori delle persone siano più importanti del valore del denaro. Anzi, crediamo che il valore del denaro dipenda dal valore delle persone e dei loro progetti.

◑ Banca **Profilo**
Face Value

Cliente   Banca Profilo
Art Director   Lorenzo Marini
Copywriter   Pino Pilla - Elisa Maino

Ci piacciono i numeri primi.

Tullio Pericoli: "Senza titolo" 1985

Oggi possiamo affermare di essere tra i primi in Europa per indicatore di solidità patrimoniale (Tier1: 24%) e ampiezza di servizi a valore aggiunto per la gestione del patrimonio finanziario e aziendale. Ma primi, per noi, sono soprattutto i nostri clienti. E non sono numeri.

Banca Profilo

Face Value

Headline
We have great plans. Together with you.
"In a complex situation, the simple solution is usually the best." Ockham's razor
Providing the right products is where our service begins.
Money isn't everything.
We'll settle for second place, as long as our clients come first.

DUEMILADIECI

Awards visual

Fila	Fila	Bburago	Fila	Swisse	Bburago	Rifle
Key Award 1998	Targa d'Oro 1998	Targa d'Oro 1998	Targa d'Oro TV 1998	European Design	Targa d'Oro 1998	Key Award 1998
Bburago	Valtur	Fila	Campanile	Open Club	Bburago	Valtur
Targa d'Oro 1999	Mediastar 1999	Targa d'Oro 1999	Mediastar 1999	Targa d'Oro 1999	Targa d'Oro 1999	Grand Prix 1999
Bburago	Bburago	Carli	Bburago	Carli	Carli	Avis
Disney Award	Targa d'Oro 2000	Targa d'Oro 2001	Targa d'Oro 2001	Targa argento 2001	Grand Prix 2001	Mediastar 2001
Bice	Fujifilm	Martini	Fujifilm	Garda	Fujifilm	Fujifilm
ADForum.com	Epica 2003	Targa d'Oro 2003	Targa d'Oro 2003	Mediastar 2003	Mediastar 2003	Pubblicità & Successo
Team	Martini	Fujifilm	Fujifilm	Zuritel	Ferretti	Aisla
AD Print 2004	Festival of Montreaux	New York Festival	Key Award 2005	Key Award 2005	Key Award 2005	AD Spot Award
Caractère	Alcantara	Tre Marie	GE Bank	Ferretti	Carli	Agency
Key Award 2007	Key Award 2007	Mediastar 2007	Mediastar 2007	New York Festival	Key Award 2008	NC Awards 2008
Dreher	ERG	Gardaland	UDC	Carli	Lavazza	UDC
Mediastar 2008	NC Awards 2009	NC Awards 2009	Key Award 2008	Key Award 2008	Grand Prix 2009	Grand Prix 2009

Aids	Fila	Sanofi	Bice	Fila	Valtur	Valtur
Mediastar 1998	Mediastar 1998	Targa d'Oro 1998	Clio Award 1998	Grand Prix 1998	Key Award 1999	Key Award 1999
Fila	Milano	Mauritius	Valtur	Bburago	Fondiaria	Ginni
Festival of Montreaux	Grand Prix 2000	Clio Award 2000	Mediastar 2000	Eurpean Regional Design	New York Festival	Eurpean Design
Bburago	Pineider	UPA	Garda	Bice	Avis	Avis
Mediastar 2001	Mediastar 2001	Mediastar 2001	Leaf Lisbon 2002	Leaf Lisbon 2002	Cifa 2002	Globes
Zuritel	Carli	Ferretti	Martini	Martini	Fujifilm	Fujifilm
Key Award 2004	Key Award 2004	Key Award 2004	Grand Prix 2004	Think big 2004	Clio Award 2004	Epica 2004
Aisla	Alleanza	Aisla	Tre Marie	Tre Marie	Tre Marie	Tre Marie
Eurobest 2005	Key Award 2006	Key Award 2006	Key Award 2006	Grand Prix 2006	Grand Prix 2006	Key Award 2007
Carli	Gardaland	Orogel	Felisi	Stella	Gardaland	Orogel
Grand Prix 2008	Key Award 2008	Key Award 2008	Mediastar 2008	Mediastar 2008	Mediastar 2008	Mediastar 2008
ERG						
Key Award 2009						

AGENCY OF THER YEAR 2007

3 Epica

1 Globes - The Ampa Worldwide Award

4 New York Festival

10 Press & Outdoor Key Awards

12 Tv Key Award

1 Cifa (Sodalitas Social Award)

24 Pubblicità & Successo

10 Grand Prix "Pubblicita' Italia"

4 European Design Awards

33 Targa d'Oro

1 Adprint European Festival

38 Mediastars

2 The Mobius Award

4 Clio Awards

2 Golden Award of Montreux

1 Adforum Creative Hits

3 NC Awards

Photo Giovanni Gastel

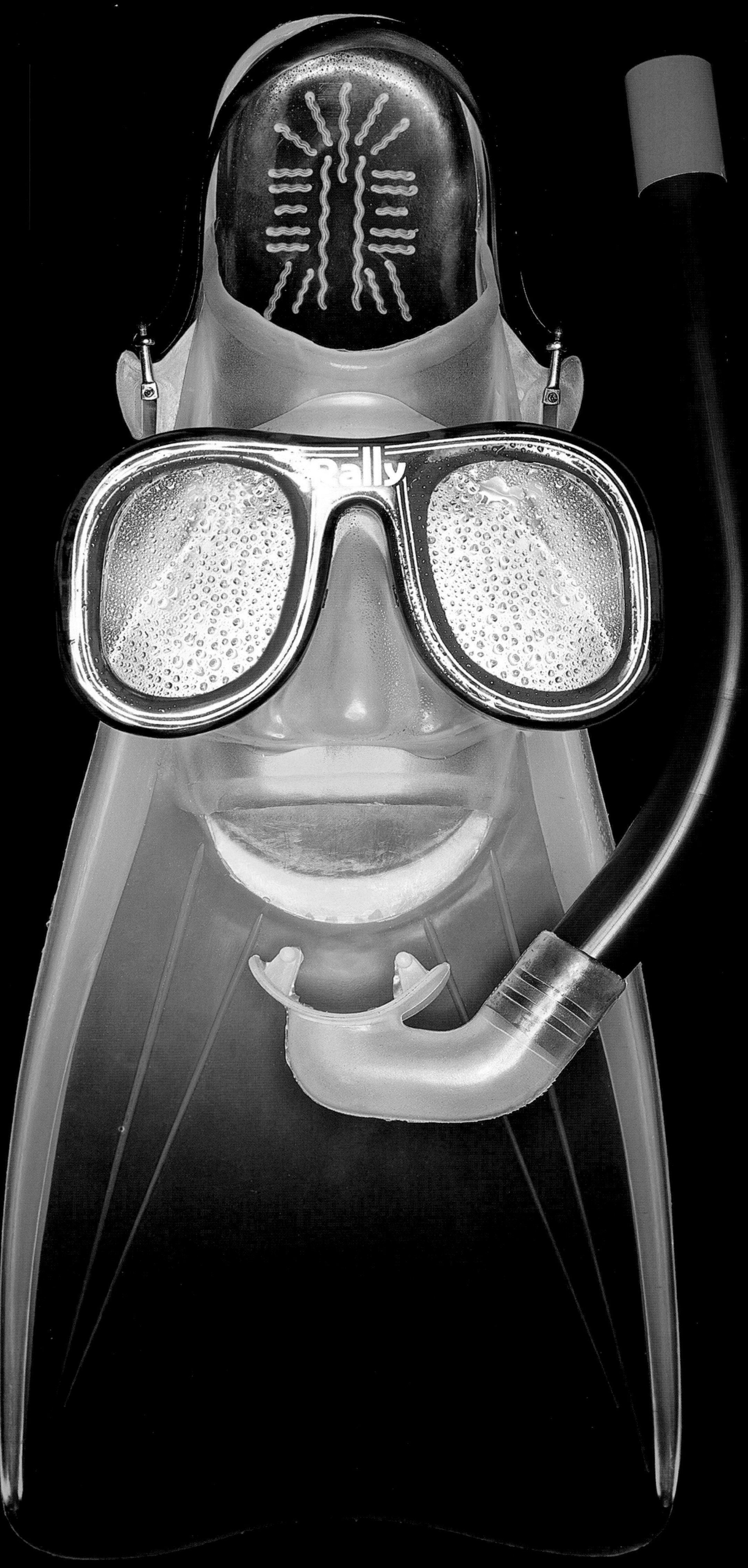

Lorenzo Marini è un artista che fa comunicazione
o meglio l'arte della comunicazione vive in lui in maniera
sulfurea, inattesa, sorprendente per sé e gli altri.
Le sue immagini come le sue parole non sopportano
ripensamenti, ma vivono e si nutrono di pensamenti,
di illuminazioni, di tagli di luce che si manifestano
come allo stato puro, "come una goccia di acqua distillata
che cade nell'inferno", come ebbe a dire Eisenstein a Disney
dopo aver visto Biancaneve.
Le immagini di Marini son come visioni del nostro tempo,
son figlie del lungo racconto della vita che ci avvolge.
In ognuna di esse, nascosto in qualche angolo, c'è un punto
di armonia che ci accoglie con un sorriso caldo,
tenendo lontano le barbarie.
Nessuna magia, solo verità, eleganza e voluttà.

G. MULAZZANI 2008

Dal graphic design
all'advertising:
la comunicazione integrata.

INTEGRATED VISUAL

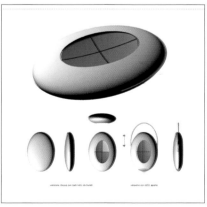

Brand
Project

Espression

come il caffè
espresso

come una
contaminazione
tra italiano e non

come un luogo
che unisce gusto
ed emozione

come l'espressione
di sé

LAVAZZA

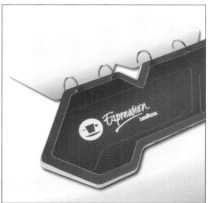

Interior design Crea International

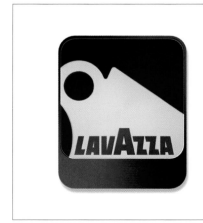

MEDITERRANEA

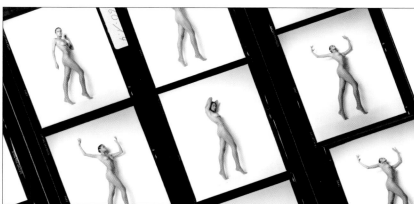

GRAPHIC DESIGN VISUAL

DOMINA *Travel*

FELISI
BAGS & BELTS

ZUCCHI

RTL 102.5

iN THE WORLD

CNDCEC
I COMMERCIALISTI
UTILI AL PAESE.

ADAMO
L'INTIMO UOMO DI PRIMIZIA

ERG mobile

JESUS

Private Banking
Credito Italiano

LUX
STUDIOS

PRIMIZIA

Redesign progressivo logo Glenfield

GLENFIELD
ITALIAN KNITWEAR

GLENFIELD

GLENFIELD

GLENFIELD®

Logo projects

Gruppo A

- SOCIETÀ PER LA CULTURA -

Logo Project: Medusa Warner Village

New brand concept + labelling

Brand repositioning + labeling

Cover design Mariella Nava - Silvia Salemi - Antonello Venditti - Ron

Buonanotte, amore.

Mille volte buonanotte.

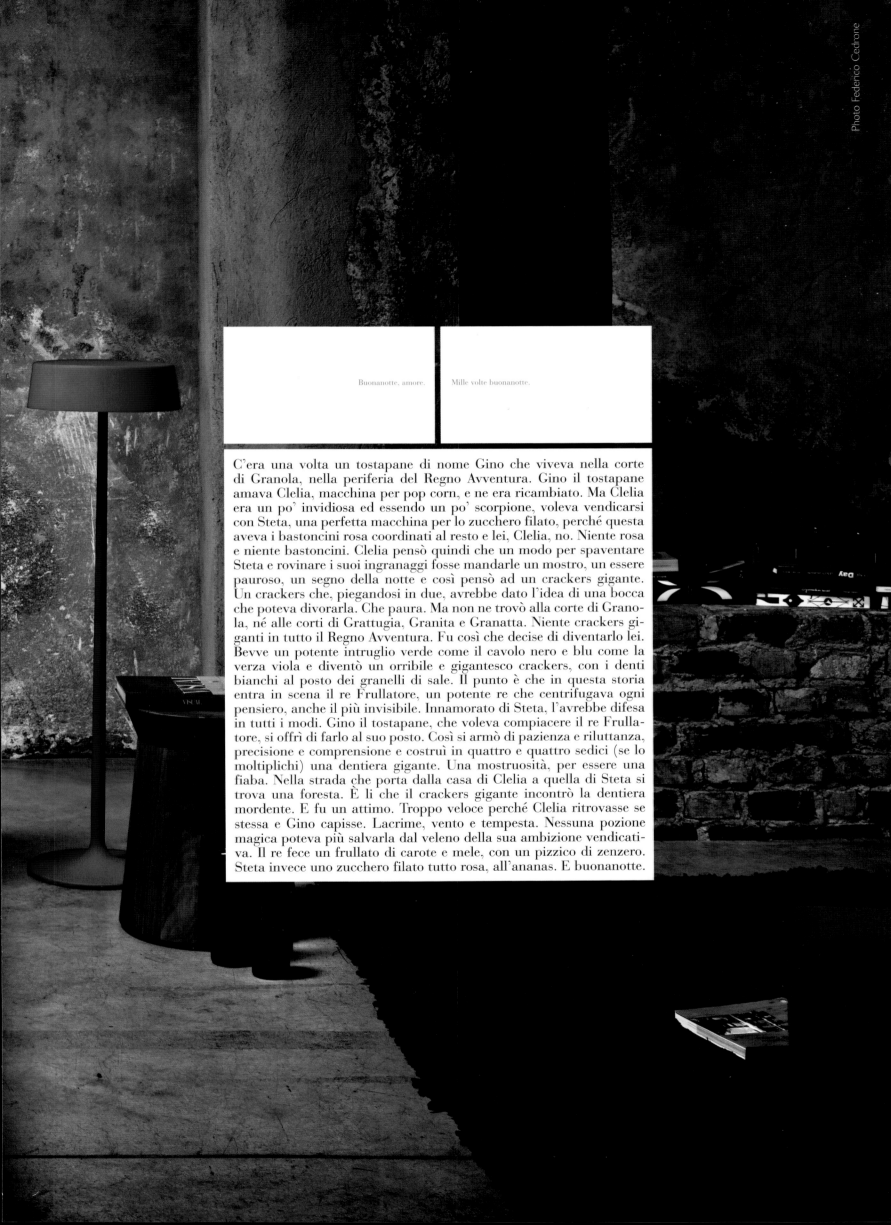

Buonanotte, amore.   Mille volte buonanotte.

C'era una volta un tostapane di nome Gino che viveva nella corte di Granola, nella periferia del Regno Avventura. Gino il tostapane amava Clelia, macchina per pop corn, e ne era ricambiato. Ma Clelia era un po' invidiosa ed essendo un po' scorpione, voleva vendicarsi con Steta, una perfetta macchina per lo zucchero filato, perché questa aveva i bastoncini rosa coordinati al resto e lei, Clelia, no. Niente rosa e niente bastoncini. Clelia pensò quindi che un modo per spaventare Steta e rovinare i suoi ingranaggi fosse mandarle un mostro, un essere pauroso, un segno della notte e così pensò ad un crackers gigante. Un crackers che, piegandosi in due, avrebbe dato l'idea di una bocca che poteva divorarla. Che paura. Ma non ne trovò alla corte di Granola, né alle corti di Grattugia, Granita e Granatta. Niente crackers giganti in tutto il Regno Avventura. Fu così che decise di diventarlo lei. Bevve un potente intruglio verde come il cavolo nero e blu come la verza viola e diventò un orribile e gigantesco crackers, con i denti bianchi al posto dei granelli di sale. Il punto è che in questa storia entra in scena il re Frullatore, un potente re che centrifugava ogni pensiero, anche il più invisibile. Innamorato di Steta, l'avrebbe difesa in tutti i modi. Gino il tostapane, che voleva compiacere il re Frullatore, si offrì di farlo al suo posto. Così si armò di pazienza e riluttanza, precisione e comprensione e costruì in quattro e quattro sedici (se lo moltiplichi) una dentiera gigante. Una mostruosità, per essere una fiaba. Nella strada che porta dalla casa di Clelia a quella di Steta si trova una foresta. È lì che il crackers gigante incontrò la dentiera mordente. E fu un attimo. Troppo veloce perché Clelia ritrovasse se stessa e Gino capisse. Lacrime, vento e tempesta. Nessuna pozione magica poteva più salvarla dal veleno della sua ambizione vendicativa. Il re fece un frullato di carote e mele, con un pizzico di zenzero. Steta invece uno zucchero filato tutto rosa, all'ananas. E buonanotte.

INTERIOR DESIGN VISUAL

IL VISUAL COME INTERIOR DESIGN Nella trasparenza la luce attraversa la materia, ma nel bianco si placa. Trova il suo porto, la sua certezza. Lo spazio è come un annuncio, ma mentre questo è bidimensionale, l'interior design lavora su tutte le dimensioni e le sensorialità. Quello che nel poster è un percorso dell'occhio qui, nella casa, diventa un percorso fisico. Tutto diventa pack shot perché tutto è un punto d'arrivo. L'impaginazione diventa creazione di atmosfera, così come nell'advertising diventa creazione emotiva. Per contrasto, mentre la comunicazione è pubblica, l'arredamento è privato. Non ha bisogno di test o ricerche: il committente è anche il suo fruitore. Il visual arredativo è fluttuante ed evasivo. Fluttuante perché mai fisso o definito, evasivo perché rappresenta la fuga del mondo certo, pubblico, esibito. Gli elementi del visual-interior possono essere come il lettering: long seller o trendy. Ci sono font che non passeranno mai di moda come il Bodoni o il Gill, esattamente come ci sono manufatti diventati archetipi contemporanei, come LC2 di Le Corbusier o Vanity Fair di Frau. L'architettura è variabile come la grafica, l'importante è l'efficacia iconografica. Come il visual degli annunci che preferisco deve essere pulito,

essenziale e rigoroso anche il visual dello spazio abitativo deve essere uno <u>spazio per pensare</u>, un tributo all'armonia, una scusa per far interagire oggetto e soggetto. Un visual di città - un appartamento in centro storico - è obbligatoriamente orientato alla funzionalità spaziale e alla <u>contemporaneità stilistica</u>, mentre un visual di campagna - un ex monastero del '700 in Valsesia - è naturalmente palestra di connessioni con <u>l'ambiente circostante</u> e gioco celebrativo del passato e della sua storia. La poetizzazione del luogo avviene attraverso il recupero ludico e la composizione visiva diventa percezione fluida di linee rette e arrotondate, cerchi e linee arcuate. Al contrario, il visual urbano del luogo abitato nelle città nasconde la sensualità del legno a favore del cristallo e del bianco, di uno scambio pragmatico tra oggetto e fruizione. Persino la cucina <u>diventa trasparente</u> grazie all'innovazione di Santambrogio Milano. Per non parlare del visual ufficio: qui l'agenzia destrutturata diventa collezione di sedie che sono un tributo post-futurista all'individualismo. In ogni caso, i luoghi abitativi sono visual che ci consentono un'indagine per trovare un <u>rapporto privilegiato</u> con l'immaginario. Non quello collettivo, quello lo lasciamo alla sociologia dell'advertising, ma quello personale, individuale, unicamente nostro.

Se la bellezza del
mondo rappresenta
la varietà della
specie umana,
perché gli uffici
rappresentano
l'omogeneità?
Dove sono i sogni,
le memorie, le
sostanze caratteriali,
le differenze
cromatiche di un
popolo di
individualisti come
il nostro?
Lo spazio non
è solo il luogo
che stabilisce il
rapporto tra le
categorie di ordine
e disordine,
così come la terra
non è il luogo di
contrapposizione tra
città e campagna.
L'esperienza
sensoriale dello
spazio influisce sui

nostri pensieri così
come, allo stesso
modo, ne è
espressione:
proiettiamo attorno
a noi il nostro ideale
di armonia e
bellezza.
Se il corpo è la
proiezione
dell'anima, anche
un luogo - casa
o ufficio - è la
proiezione del
corpo.
Ma mentre
l'abitazione è lo
specchio del nostro
credo, l'ufficio non
ha avuto
l'imprimatur sociale
per essere un luogo
filosofico.
Da una parte sogno
e affetti - la casa -
e dall'altra
pragmatismo e
rigore - l'ufficio.

L'ufficio è inteso nel
migliore dei casi
come una
rappresentazione di
potere, come un
simbolo a metà
strada tra le vetrine
e il teatro. Ma
questo, come negli
hotel, vale nelle
parti comuni.
Le hall si
spettacolarizzano
e le camere si
atrofizzano.
L'immagine
dell'azienda conta
più per i visitatori
occasionali,
o per i clienti che
per gli impiegati che
vi lavorano. E le
agenzie di
comunicazione?
Va detto subito: vai
in un centro media
e capisci che si
parla più di GRPS

che di immagine;
vai in una web
agency e capisci
che lì raccontano
il futuro; vai in un
atelier creativo e ti
accoglie lo spirito
dell'invenzione e dei
nuovi trend!
Ma nonostante il
tema di moda in
questo momento sia
la domesticizzazione
dell'ufficio, sembra
che la cura
dell'immagine
aziendale sia
maggiormente
rivolta all'esterno
che alla cura e
attenzione per gli
spazi interni.
Il nostro, invece,
è un visual.
Destrutturato e
individualizzato. Ma
sempre e comunque
impaginato.

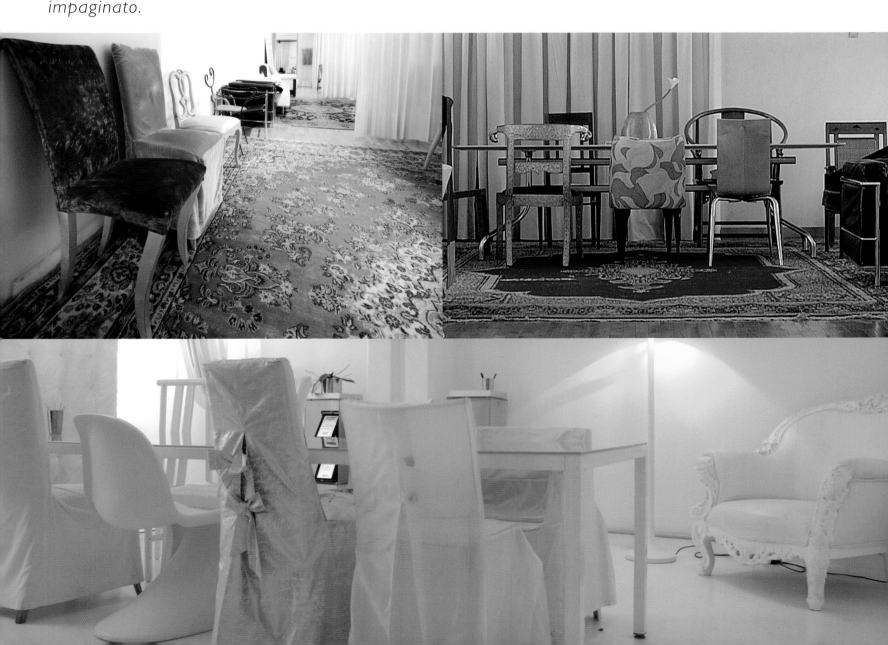

IL VISUAL COME DESIGN

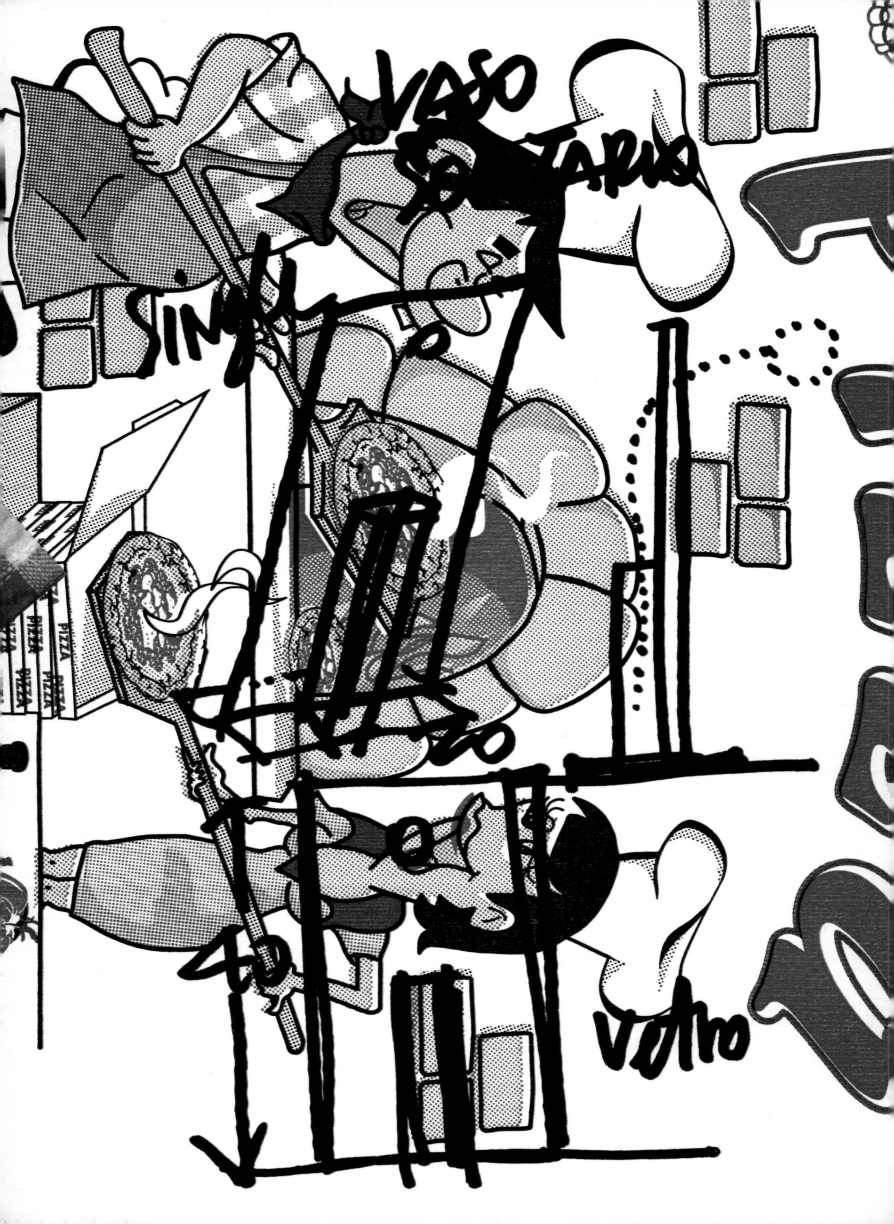

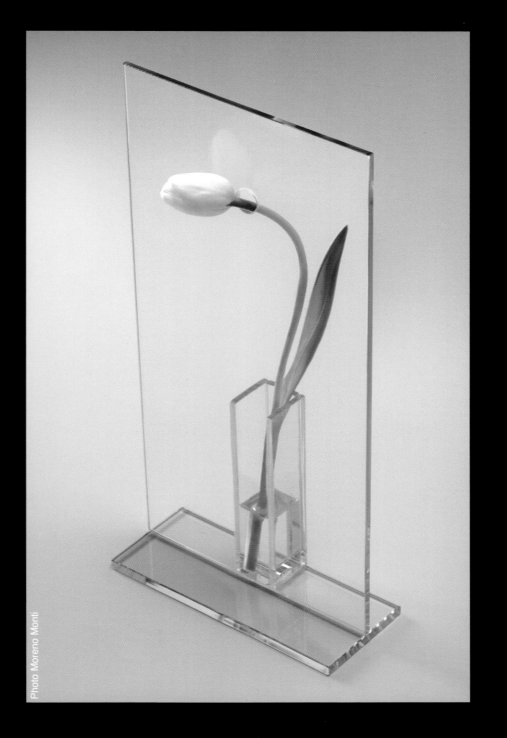

Photo Moreno Monti

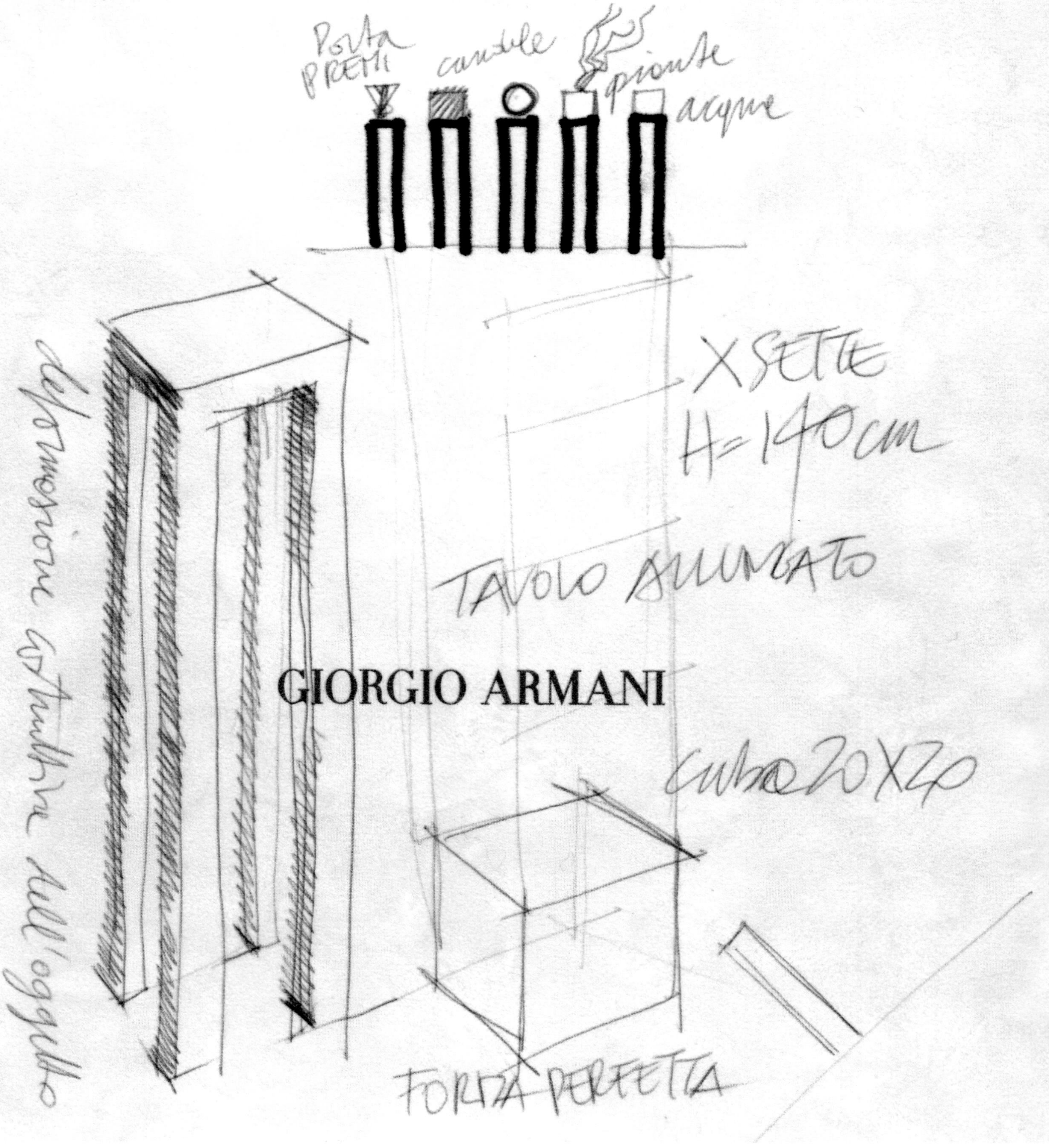

Porta
PIETTI   candele   piante
                             acqua

X SETTE
H=140cm

TAVOLO ALLUNGATO

GIORGIO ARMANI

cubo 20x20

deformazione strutturale sull'oggetto

FORMA PERFETTA

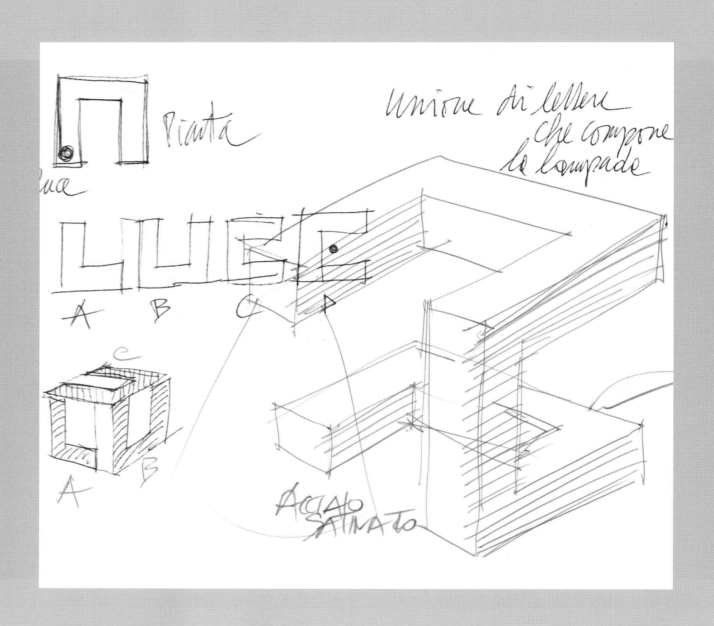

Pianta

Unione di lettere
che compone
la lampade

LUCE

A   B   C   D

Acciaio
Satinato

266

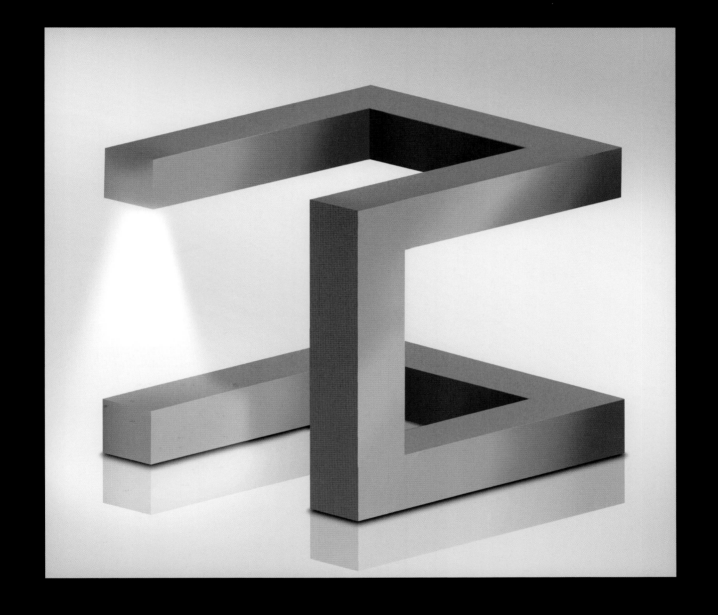

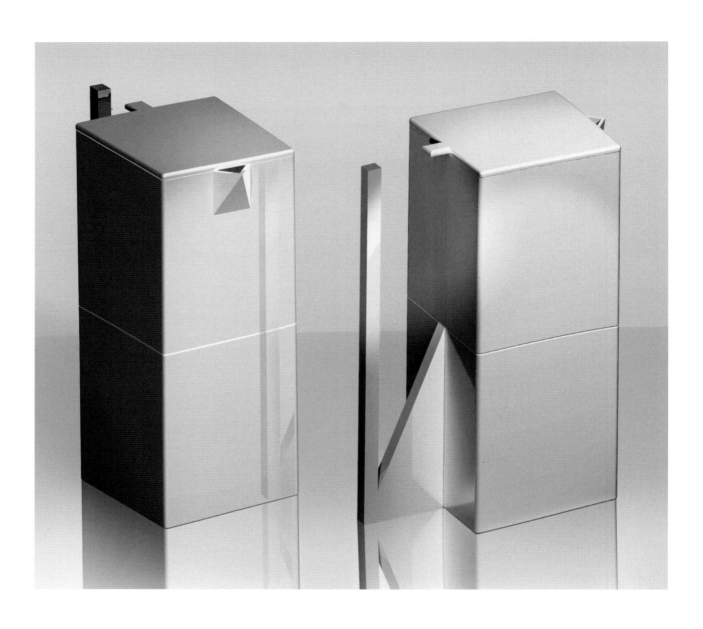

IL VISUAL COME ARTE

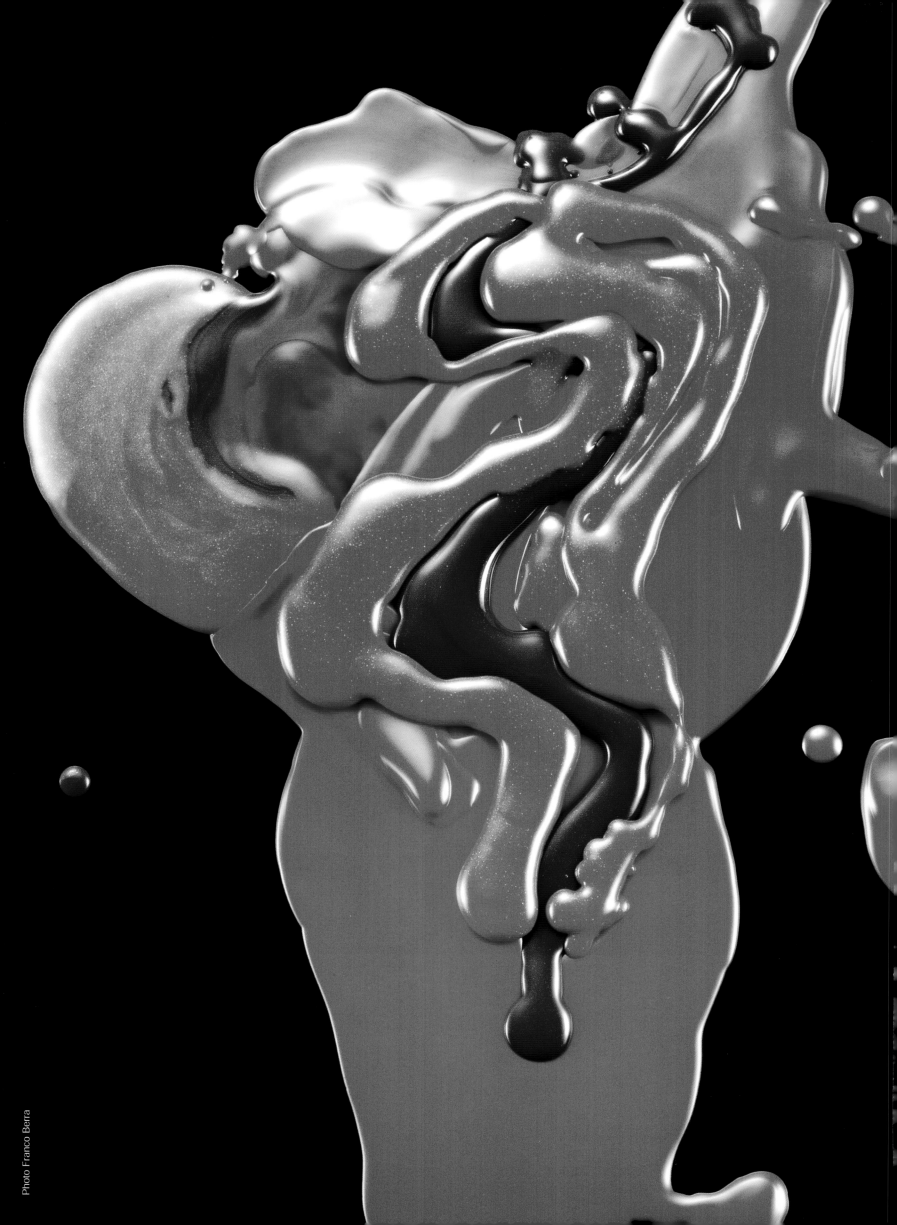

Una sorta di "riservatezza cromatica"
domina i quadri di Lorenzo Marini,
una specie di riserbo in virtù del quale il
colore compare per fugaci apparizioni,
per improvvise fratture sul candore
della superficie di supporto.
I dipinti assumono il valore di variazioni
su un tema: quello del bianco e,
ad esso strettamente contiguo, quello
del vuoto. Nel suo "Note", dedicato ad
alcuni aspetti del suo lavoro nel campo
della pubblicità, lo stesso Lorenzo
sottolinea come il bianco sia "elegante
come il silenzio. [Esso] è l'attesa
dell'inchiostro su un foglio di carta o
l'attesa del colore su una tela da
dipingere".[1]
Questa tendenza alla riduzione del
colore fin quasi all'acromia trova precisi
paralleli nella cultura orientale dove,
soprattutto nella pittura giapponese,
attraverso un progressivo lavoro di
eliminazione del superfluo si perviene
alla sopravvivenza dei soli toni del
bianco e del nero. Toshihiko Izutsu,
autore di un suggestivo testo sul
buddhismo Zen, dedica pagine
bellissime a quello che lui definisce
"l'ascetismo artistico" della pittura
orientale, mettendolo a confronto con
l'haiku, "la forma d'espressione poetica
più riservata al mondo".[2] Allo stesso
modo, per Lorenzo Marini, "il senso del
colore tradizionalmente inteso si arresta
di fronte al bianco, stimolo permanente
verso la spiritualizzazione dei sensi"[3].
Il procedimento di acromatizzazione si
ottiene, in ambito orientale, mediante
quella che in Giappone viene definita,
con un'espressione solo
apparentemente cruenta, "uccisione del
colore".[4] La soppressione dell'aspetto
cromatico è necessaria perché "sotto
l'assenza del colore vi è un vago ricordo
di tutti i colori che sono stati uccisi".

LA PAZIENZA DEL BIANCO
di Alessia Castellani

La tendenza all'acromia, dunque, è ben lungi dal connotarsi come semplice assenza ed è in questo aspetto che, come sottolinea Marini, consiste l'intimo paradosso del bianco: "strana contraddizione: il colore bianco è la somma di tutti i colori eppure la sua percezione è collegata all'assenza".[5]

Alla cultura giapponese non sfugge naturalmente la complessità del rapporto tra assenza e presenza del colore, ben consapevole del fatto che tutto il fascino e la profondità del bianco possono essere colti soltanto da un occhio capace di apprezzare le infinite variazioni e combinazioni cromatiche offerte dalla natura.
La sopravvivenza del colore, segretamente evocato sotto il candore del bianco, offre un connotato positivo alla sua eliminazione: "l'assenza esteriore del colore assume un valore estetico positivo come una presenza interiore del colore".[6]

Un'equivalente, intima contraddizione caratterizza gli spazi bianchi costruiti da Lorenzo, abitati e quasi furtivamente attraversati da tracce cromatiche.
Non vi è alcun espediente che tenti di celare la rigorosa costruzione architettonica del quadro, memore della formazione dell'artista, e tuttavia essa è costantemente messa in discussione dalla sensibilità materica e profondamente pittorica di Lorenzo, espressa dalle accensioni delle macchie di colore e dall'uso di materiali extrapittorici quali il cotone, il gesso, la colla e la carta che rendono vibranti le superfici.

Oltre la rigorosa impaginazione dello spazio bianco si mostra una realtà più complessa. La griglia geometrica di base, per esempio, è regolarmente smentita dalle fuoriuscite del colore, poco incline a farsi ingabbiare, come se una tendenza centrifuga animasse l'architettura spaziale.
Il candore del bianco cede alle sfumature del rosso, si lascia attraversare da tracce di blu, si rapprende in concrezioni gessose, la levigatezza dello sfondo si scontra con la ruvida incoerenza delle superfici materiche segnate dal tempo: momento "maledetto, bellissimo e struggente" in cui "la ragione e il cuore si fondono".[7]
Si coglie una forma di resistenza al dilagare del bianco, perché imperfetta è la natura dell'esistenza, e perché nulla è più complesso della rappresentazione del vuoto: "Disegnare uno spazio bianco in cui non sia raffigurato assolutamente nulla – ecco la cosa più difficile da realizzare nella pittura".[8]

Lorenzo Marini ha intrapreso una prova ardita e paziente: il bianco, come il vuoto, è in potenza sommamente abitato, ed è da questa capacità di condensazione del senso che deriva tutta la propria forza espressiva.

1. L. Marini, *Note*, Lupetti Editore, Milano 2005 p. 89.
2. T. Izutsu, *La filosofia del Buddhismo Zen*, Ubaldini Editore, Roma, 1984, p. 208 (ed. or. *Toward a Philosophy of Zen Buddhism*, Prajna Press, 1977).
3. L. Marini, 2005, cit., p. 89.
4. T. Izutsu, 1984, cit., p. 215.
5. L. Marini, 2005, cit., p. 89.
6. T. Izutsu, 1984, cit., p. 215.
7. L. Marini, 2005, cit., p. 34. Secondo Marini questo momento si realizza, in pubblicità, nella fase del briefing.
8. T. Izutsu, 1984, cit., p. 234. L'affermazione è del pittore giapponese Ike-no Taiga (1723-1776), appartenente al Periodo Edo, il quale, interrogato su cosa sia più difficile da rappresenteare in pittura, rispose per l'appunto "disegnare uno spazio bianco in cui non sia raffigurato assolutamente nulla".

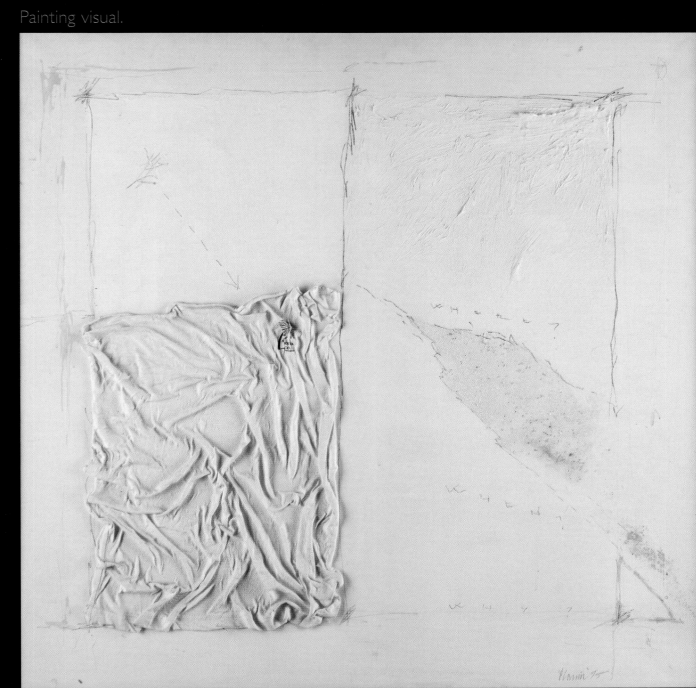

100x100 Oil, cotton, acrylic, glitter on canvas

100x100 Oil, acrylic, glitter, chalk on canvas

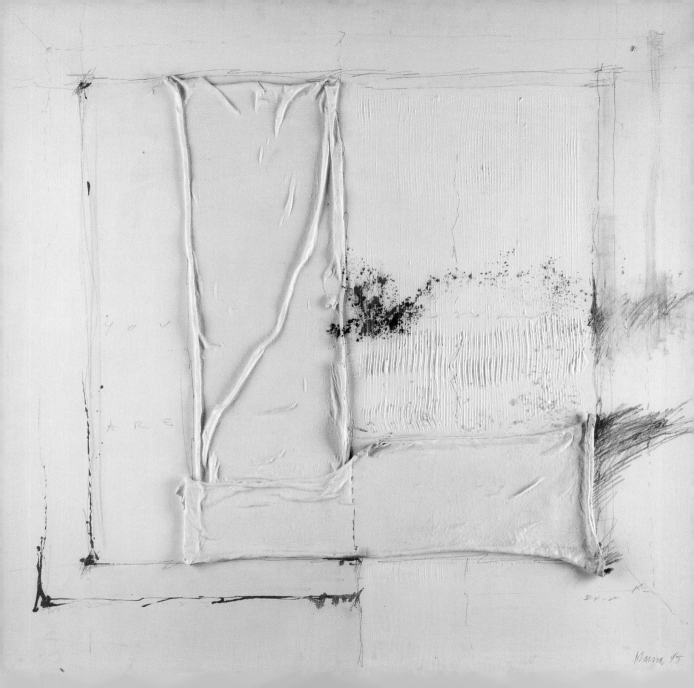

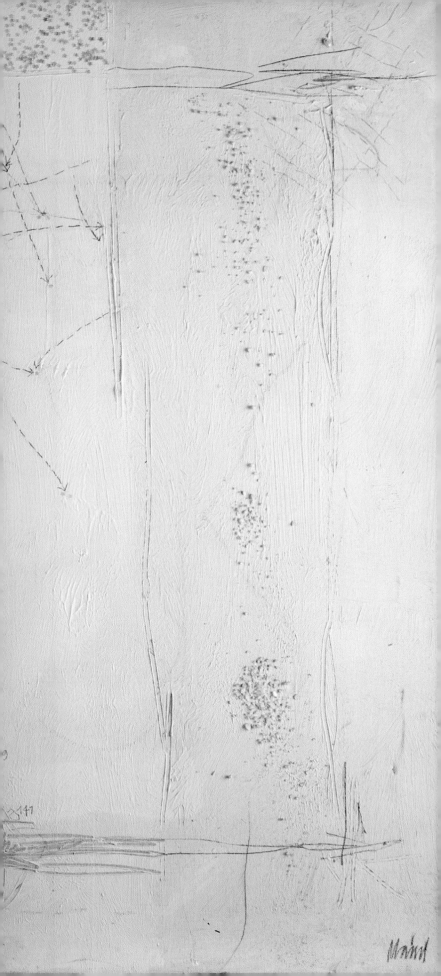

100×70 Oil, salt, acrylic, graphite on canvas

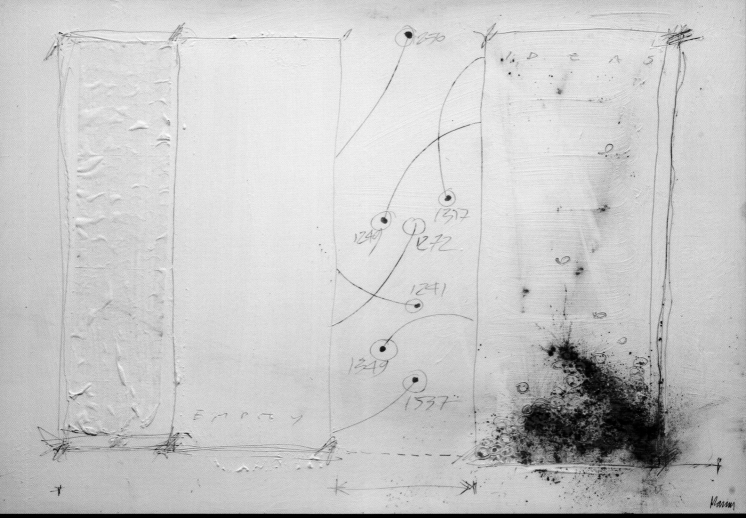

100x70 Oil, ink, paper and acrylic on canvas

Organigramma Visual

Group

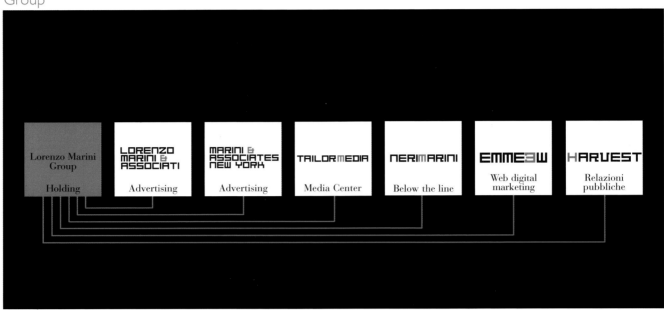

People

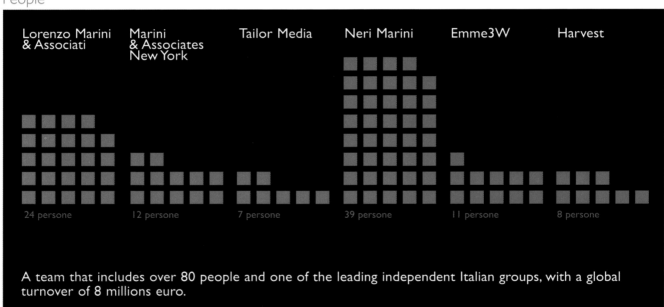

Lorenzo Marini & Associati	Marini & Associates New York	Tailor Media	Neri Marini	Emme3W	Harvest
24 persone	12 persone	7 persone	39 persone	11 persone	8 persone

A team that includes over 80 people and one of the leading independent Italian groups, with a global turnover of 8 millions euro.

The NetworkOne

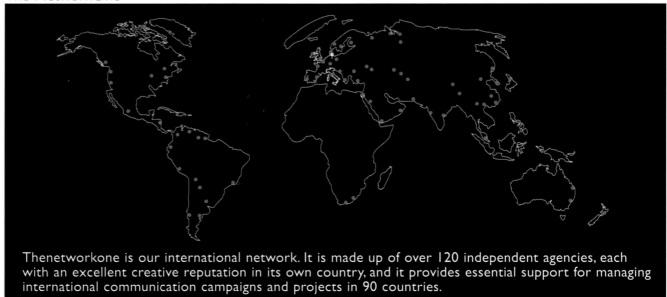

Thenetworkone is our international network. It is made up of over 120 independent agencies, each with an excellent creative reputation in its own country, and it provides essential support for managing international communication campaigns and projects in 90 countries.

DNA Approach

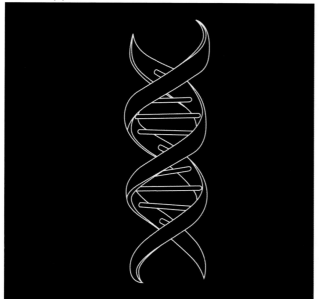

Our creativity derives from a solid, real-world strategy. The first step is to identify the brand's DNA so that we can build an exclusive positioning for it. We choose a brand the same way we choose our friends. Not because of the sum of their pros and cons, but because they speak our language, because they are like us. The DNA approach consists of identifying six adjectives which, once decided and shared, will always accompany the brand in all forms of communication.

Working method

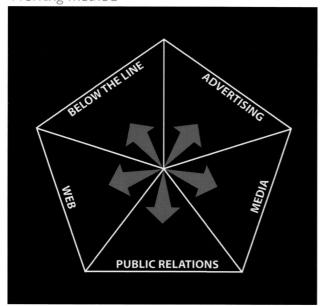

The pentagon is the first operative meeting of the five companies in the group.
The brand's DNA becomes the beating heart of the various different disciplines, and the integration takes its form from this design nucleus.
Subsequently, the companies involved will put the project together, specifically and independently.
And by integration, we mean fusion.
Not confusion.

Offices

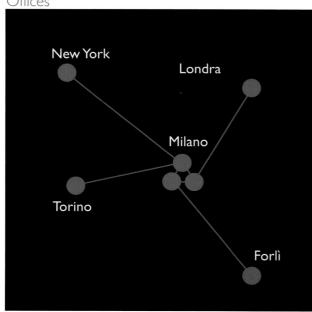

Milano
Lorenzo Marini & Associati
Via Tortona, 15

Harvest Communications
Via Napo Torriani, 6

Tailormedia
Via Washington, 17

Emme3W
Via Paolo Sarpi, 42

Torino
Lorenzo Marini & Associati
Via Cavour, 44

Forlì
Neri Marini
Viale Bologna 56 - Forlì

Londra
The NetwokOne
19 Floral Street Covent Garden

New York
Lorenzo Marini & Associati Pool
20 West 22nd Street

2003

Lorenzo Marini
Der Tulpenmaler
Roman

btb

2005 German edition

2005 Greek edition

1999

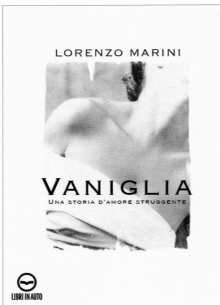

2010 audio book

2010

Lorenzo Marini

Este libro no tiene título porque fue escrito por un director de arte. Este libro está dirigido a los que se están acercando al mundo de la publicidad, a los que ya se acercaron a él o a los que piensan que todo es difícil, complicado y especialmente inalcanzable. No fue escrito por un general sexagenario que habla de las guerras en las que ha combatido, sino por un hombre de treinta y seis años que está en la trinchera, en primera línea, *ahora*. No fue escrito por alguien que llegó a la cima de la montaña sino por alguien que sabe que no existen los recorridos imposibles ni los glaciares insuperables, aunque lo parezcan, vistos desde la llanura. Este libro habla de *publicidad* y lo hace de dos maneras: una real, autobiográfica, casi ensayística. La otra fantástica, novelesca, casi un cuento de hadas. Si ustedes piensan que son demasiado cínicos para creer que yo encontré a mi ángel de la guarda, no compren este libro.

1994 Spanish edition

Lorenzo Marini

Questo libro non ha *titolo* perché è *scritto* da un art director.

Tra realtà e fantasia, tra saggio e fiaba, tra autobiografia e romanzo, il viaggio di un creativo nel pianeta pubblicità.

luigi fausto lupetti editore

2008

Lorenzo Marini

Note

sulla creatività
sulla pubblicità italiana
sul rapporto immagine e parola
sul locale e globale
su ragione e sentimento
sulla radio
sulle contraddizioni del web
sul bianco
sulla grafica editoriale
sul marketing culturale

Lupetti

2010

Lorenzo Marini   btb   Der Tulpenmaler   73194

Lorenzo Marini   Note   Lupetti

Lorenzo Marini   Questo libro non ha titolo perché è scritto da un art director   Lupetti

Lorenzo Marini   L'uomo dei tulipani   Lupetti

LORENZO MARINI   VANIGLIA   Lupetti

Grazie a Gian Andrea Abbate, Alberto Abruzzese, Vincenzo Acone, Damiano Airoldi, Roberto Albano, Fabio Albarelli, Ivonne Alinovi, Serena Anastasi, Righel Anglois, Francesca Antinori, Danilo Arlenghi, Peter Arnell, Matteo Arpe, Ezio Massimo Arrigoni, Chiara Assirelli, Ettore Avallone, Leonardo Baffari, Marco Bagnoli, Andrea Balbo, Marco Baldini, Alberto Ballerini, Sira Balzani, Thomas Bandini, Pasquale Barbella, Giampaolo Barbieri, Marco Barbieri, Massimo Barboni, Luca Barilla, Alessandro Baronti, Vania Batoli, Ambra Bartolozzi, Giulio Base, Alberto Bassi, Mirna Bassi, Simona Batani, Giovanni Baule, Guerrino Beccacece, Nicola Belizzi, Valentina Bellanza, Michela Bellomo, Patrizia Beltrami, Vittoria Belvedere, Federica Beneventi, Guido Benini, Consuelo Bentivogli, Pier Luigi Berdondini, Sara Berdondini, Gianni Bernabei, Matilde Bernabei, Ettore Bernabei, Luca Bernabei, Franco Berra, Lella Bertocchi, Gianfranco Bertoli, Umberto Berton, Paolo Besana, Paola Betargnoli, Zaverio Bettonagli, Patrizia Bezzi, Alice Bianchi, Paolo Bianchini, Chiara Biasini, Daria Bignardi, Rosi Bindi, Andrea Biondi, Fabrizia Boiardi, Massimo Bolchi, Genni Bona, Fatima Bonazzi, Silvia Bonazzi, Lilit Boninsegni, Andrea Boragno, Guido Borghi, Julian Boulding, Silvia Bregolin, Nini Briglia, Eugenia Bruni, Emanuele Bruno, Gianni Brunoro, Caterina Boschetti, Andrea Bove, Daniela Brancati, Enrico Branchetti, Emanuele Bresciani, Elisa Bruno, Francesco Bruti, Massimo Bucchi, Giulia Buffa, Cristiano Bulegato, Filippo Buratti, Isabella Caggiati, Valentino Cagnetta, Urbano Cairo, Azzurra Caltagirone, Emanuele Calvi Parisetti, Marco Cambiaghi, Enzo Campione, Elisabetta Canali, Fabio Candeli, Clara Canderan, Max Cardelli, Gianfranco Carli, Lucio Carli, Marco Casale, Pier Ferdinando Casini, Cristiano Catania, Alessandro Cecchi Paone, Pierluigi Celli, Paola Cellini, Leonardo Cemak, Nino Cerruti, Lorenzo Cesa, Gianpaolo Ceserani, Piero Chiambretti, Gianmarco Chierigato, Elena Chiesa, Angela Chinaglia, Rosy Chiodini, Dario Chirichigno, Paola Ciarlante, Rossana Ciccarone, Daniele Cima, Aldo Cingolano, Alessandra Citterio, Paolo Civolari, Christian Coigny, Elena Colombo, Maria Comotti, Paolo Conca, Roberto Confalonieri, Andrea Contarini, Arianna Conti, Alberto Contri, Maurizio Coppolecchia, Davide Corradi, Guido Corradi, Giuseppe Corrado, Pino Costanzo, Giovanni Cozzi, Alessandra Cristiani, Filippo D'Acquarone, Alessandro D'Alatri, Paolo D'Altan, Vittorio D'amico, Tony D'Andrea, Marco D'Anna, Alessandro Dalla Fontana, Serena Dandini, Gaia Danieli, Mauro Davico, Walter David, Mauro Dazzini, Marcella De Angeli, Ferruccio De Bortoli, Elena De Gradi, Mario De Luigi, Federico De Lunas, Serena De Negri, Antonio De Poli, Elena De Tullio, Palma De Vito, Alberto Del Biondi, Corrado Del Fanti, Lorenzo Del Pani, Gabriele Del Torchio, Azzurra Della Penna, Tea Della Pergola, Francesca Dellartino, Giulia Deodato, Silvia Deplano, Anna Desiderato, Vito Di Bari, Marcella Di Marco, Giampiero Di Martino, Gabriele Di Matteo, Federica Di Nocera, Patrizio Di Rienzo, Giuseppe Di Sisto, Gianluca Di Tondo, Fulvio Dodich, Fabio Donatone, Massimo Donelli, Gillo Dorfles, Ennio Doris, Alessandro Dotti, Pietro Dotti, Stefania Dotti, Kylee Doust, Giuliana Ericani, Fabrizio Esposito, Alessandra Facciani, Barbara Falcomer, Lazzaro Faraggiana, Giorgio Favaretto, Maurizio Favetta, Fabio Fazio, Isabella Fazioli, Anna Lisa Felloni, Bruno Ferrari, Norberto Ferretti, Piergiorgio Festino, Giovanna Fieni, Luigino Finelli, Enrico Finzi, Beppe Firrao, Luca Frachey, Antonella Franzoni, Sabrina Frescura, Dario Frigerio, Nicola Fontana, Marco Formisano, Paolo Fossati, Massimiliano Fuksas, Maria Elena Furini, Michela Gabelli, Alessandro Gaffuri, Marisa Galbiati, Rina Garda, Rosy Garda, Paolo Garimberti, Alessandro Garrone, Edoardo Garrone, Antonio Garzilli, Jacopo Gasparetto, Giovanni Gastel, Angelo Gatti, Mauro Gatti, Lucio Gelsi, Fabiana Giacomotti, Giorgietto Giugiaro, Laura Giugiaro, Alessandro Giuzio, Renè Ghilini, Oliver Glaser, Milo Goj, Giorgio Gori, Ilaria Gori, Roberto Gorla, Marta Gorlero, Stefano Gottardello, Ugo Gottoli, Stefano Grandi, Aldo Grasso, Marco Gualdi, Ambrogio Gualdoni, Luigi Guidobono Cavalchini Garofoli, Wolfgang Gurschler, Sergio Gussoni, Daniela Hamaui, Peter Heilbron, Masatoshi Horii, Lin Huazhong, Michelle Hunziker, Anna Iannotti, Diego Illetterati, Sara Intonti, Maurizio Invernizzi, Massimo Iosa Ghini, Thomas Krappitz, Antonella La Banca, Filomena Labanca, Mario La Fortezza, Andrea Laghi, Antonella Lanfranco, Francesca Lavazza, Giuseppe Lavazza, Alcide Leali, Alcide Leali Jr., Liliana Leali, Pietro Leemann, Stefano Leonangeli, Chen Li, Enzo Limardi, Peter Lippmann, Agnese Lodola, Giuseppina Loisi, Miguel Lombardi, Walter Lombardi, Alessandra

Illustrazione: Libero Gozzini

Longo, Massimo Lopez, Carlo Lucarelli, Gianni Luparia, Daniele Lupetti, Fausto Lupetti, Lorena Macera, Giovanni Maggioni, Carla Magri, Laura Maini, Elisa Maino, Francesco Majo, Giulio Malgara, Milo Manara, Lorenzo Mancini, Silvia Mancini, Raffaella Mangiarotti, Zap Mangusta, Morgan Maniero, Bebo Mantellini, Franca Mantovan, Antonio Marano, Andrea Marcellan, Sergio Marchionne, Saverio Marconi, Giorgio Marino, Gustavo Marioni, Daniela Marizzoni, Luca Maroni, Alessandra Martino, Mario Martino, Gigi Marzullo, Nino Mascardi, Claudio Mascheroni, Domenico Fabio Masi, Franco Masini, Andrea Masotti, Andrea Massimello, Cristina Matranga, Ezio Mauro, Paola Mazza, Marco Mazzanti, Mario Melazzini, Marco Melloni, Andrea Merloni, Carlo Micheli, Giulia Migliarini, Alba Minadeo, Giovanni Minoli, Andrea Molino, Vincenzo Mollica, Enrico Montangero, Domenico Montemurro, Luca Montezemolo, Moreno Monti, Daniela Montieri, Enza Morello, Cristina Morgagni, Danilo Mosca, Cristina Motta, Gianni Muccini, Mariella Nava, Leonardo Nicastro, Giorgio Niutta, Antonella Olivieri, Viola Oracolo, Mario Orfeo, Stefano Orsi, Luca Pacitto, Giovanni Pagano, Carlo Paggiarino, Gianluca Pagliacci, Riccardo Palmeri, Federica Panicucci, Katia Pantaleo, Giampiero Paoli, Vittorio Parazzoli, Stefano Parisi, Marino Parisotto, Erwin Parth, Livio Partiti, Corrado Passera, Alessandro Pasotti, Guglielmo Pasquali, Gigi Pasquinelli, David Parson, Maria Concetta Patti, Layla Pavone, Alice Peano, Giuseppe Peccati, Alessandro Pecoraro, Raffaello Pedrazzi, Claudio Pella, Fidelio Perchinelli, Tullio Pericoli, Carlo Perini, Giovanni Perosino, Patrizia Perrone, Daniele Pesce, Luigi Pescetto, Pamela Petronelli, Dario Piana, Pino Pilla, Pierfrancesco Pinelli, Cosimo Pinsino, Anna Pisciotta, Davide Pizzolato, Flavia Porri, Marcello Pozza, Cristina Proci, Alessandro Profumo, Francesca Protopapa, Dario Prunotto, Silvia Pugi, Giovanni Puglisi, Giuseppe Puglisi, Laura Puoti, Gianni Quarleri, Giulia Ragazzini, Raiola, Giancarlo Rambaldi, Giovanni Rana, Roberto Rao, Elisa Ravaglia, Sara Ravaioli, Francesca Renzi, Roberto Riccio, Marco Ricottelli, Matteo Rignano, Laura Rikus, Stella Rinaldi, Chiara Rinaldini, David Riondino, Fabio Ritter, Jean Marc Riva, Luigi Rizzuti, Alberto Robbiati, Fernanda Roggero, Ron, Danilo Ronchi, Daniele Rossi, Giulia Rossi, Simone Rossi, Rota, Carlo Rovatti, Piergiorgio Rozza, Federico Rubini, Barbara Ruffilli, Ugo Ruffolo, Valeria Rusconi Clerici, Gianni Russo, Stefano Sacco, Mauro Saffi, Salvatore Sagone, Angelo Sajeva, Sabrina Sala, Silvia Salemi, Camilla Salerno, Marco Saltalamacchia, Sandro Salvati, Cecilia Sandrucci, Gavino Sanna, Carlo Santambrogio, Andrea Sansavini, Cristina Santinoli, Silvia Saporetti, Lorenzo Sassoli De Bianchi, Luana Saturno, Marco Sbaffi, Silvio Scaglia, Sergio Scalpelli, Francesca Scarpa, Elvira Serra, Marina Sgarbi, Diego Sgorbati, Mariangela Sibio, Claudio Siciliotti, Roberta Siri, Vera Slepoj, Jazek Soltan, Ilaria Somaschini, Filippo Solibello, Silvia Sozzi, Claudio Spinaci, Paolo Spinazzè, Paolo Sturbini, Werner Strobl, Lisa Tagliaferri, Denny Talamazzi, Davide Tama, Gianni Tamburini, Marco Tamisano, Andrea Tarasconi, Luca Targa, Cristina Tasselli, Alessandra Tatti, Corrado Tedeschi, Leonardo Tesi, Marco Testa, Matteo Testa, Toni Thorimbert, Matteo Thun, Emilio Tini, Pietro Tognazzi, Gian Paolo Tomasi, Andrea Tomat, Gianluca Toniolo, Simone Torchi, Oliviero Toscani, Maria Teresa Tosetto, Simona Toto, Elena Tovo, Paolo Traini, Aldo Trifuoggi, Alessandro Trossero, Carlo Turati, Ileana Turrini, Cecilia Ungania, Federico Unnia, Fabio Vaccarono, Antonio Valente, Valentina Valenti, Raffaele Valetta, Enrico Vallin, Alessio Valtolina, Stefano Vannucci, Paolo Varotto, Paola Venegoni, Dario Vergassola, Paolo Viarengo, Mario Villa, Raimondo Villa, Thomas Villa, Laura Virgili, Umberto Virgili, Enrico Vissani, Carlo Vitali, Esiel Vitali, Alberto Vitaloni, Claudia Volpin, Claudia Voltatti, Amina Wagner, Daniela Weber, Jayne Whitmer, Keith Whitmer, Diego Xausa, Gian Luigi Zaina, Patrizia Zambianchi, Mara Zanchini, Massimo Zenobi, Fabio Zanzotto, Roberto Zavaroni, Zilla e Lino, Diego Zitelli, Bianca Zocche, Yuri Zoli, Matteo Zucchi, Maurizio Zucchi, Flavio Zuin.

Tutti gli impianti fotolito e il materiale per la stampa di questo annual sono stati realizzati con estrema cura, qualità
e passione da Masterscolor, che ringraziamo per questi 10 anni di ininterrotta qualità.

Defusing reality, or Marini's fixed idea.
by Alberto Abruzzese

If even a single book of images were to be translated into words, not even all the paper in the world would be sufficient, neither would the voices of all its inhabitants be enough. And in some cases the opposite is true as well. Writers, judges and policemen believe that seeing can be directly translated into written words. But our feelings and our body live within this mutual failure of understanding, their lack of communion.
But there is something that sets images apart from writing: the first creates illusion, the second, obligation; the first evokes emotion, the second teaches.
The space of reading ties us to the monuments of historic memory, to the plots of society, the dialectics of power and identity.
The space of an image is a black hole in the multiverse of all times and all places. Luckily and unluckily, what it offers to our gaze functions as a membrane, a barrier, a curtain. It protects us from nothing and from everything.
The image is that which induces us to stay. The reality that draws us. That illudes us. And, altogether, enslaving us, it saves us and kills us.
"Fisso l'dea" (I fix the idea) was the magical slogan that Gabriele D'Annunzio invented for a brand of ink. It is also the magical slogan with which a famous early 19th century poster artist, Marcello Dudovich, revealed the secret of his trade as a persuader, de-scribing it on one of his advertising posters. A small masterpiece of graphic design, a strategic hyphen linking image and writing, brand and idea, product and vision, invention and consumption.
"Fixing an idea" is, however, not the same as "fixing an image". Therefore it is not the same as photography.
The idea developed by the creator of an advertisement regards the product to which the image alludes. In this case, the idea is designed to remove spectators attention from the image, just as soon as the image has attracted their interest.
The idea developed by the photographer regards the image, and consists of the action that produces it. A fine photograph should be consumed for what it is. A good visual should evoke the consumption of something else.
In other words, what I find interesting in Lorenzo Marini's innumerable images lies exactly in what he enabled me to recognize, that factor separating the artist who creates a photograph from the artist who makes a visual.
The photographic intention fixes what is visible and develops an interpretation. The idea resides in the shot that creates the expected image, fixing the object of attention, constructing it as reality, removing it from the infinite ubiquity of the real world. It presents itself as an image - whether ethical, aesthetic, political or something else - whose significance lies in itself.

On the other hand, a visual is created to evaporate during the image-generating process that it triggers. It is an invitation to defuse the mortal device of visible reality, deactivating its destructive potential, and thus enabling the gaze to break free and fly away from the images that seemed to be its content, permitting the construction of one's own narrative as a consumer straight away, even before and independently of purchase. In this way it achieves its own reproductive purpose and personal recompense.

The power of images.
by Vanni Codeluppi

Are we living in an image-based civilization? Many years ago, Roland Barthes answered that it would be more correct to refer to a "textual civilization", because our interpretation of the visual language always needs words, whether in the form of captions or other structures. For example, in advertising, the interpretation of an image needs a headline or body copy, which give meaning to a visual. Perhaps when Barthes was writing, this was true. But is it still the case? Some commentators, above all Umberto Eco, consider that we are living in a textual civilization more than ever before. In other words, he thinks that the computer, far from absorbing verbal expressions into the screen and thus encouraging their disappearance, has on the contrary encouraged people to write. And the same can be said of the cellphone. But this does not mean that the function of images has weakened. Today, in actual fact, an image is often capable of communicating without a text. If this were not the case, why has advertising reduced the role of the verbal component to such a degree, to the point at which it has virtually disappeared? In a situation of burgeoning communication, in which people, society and culture are launching ever greater quantities of verbal messages in an increasingly intricate tapestry, the image is the only way out for someone who really has something important to say. A powerful image can burst out of the frame. Attain generalized attention. And press is still the best medium. Because of its better photographic quality. For its glossy splendour. And because it can be held in the hand, touched, almost physically appreciated.
An image acquires power when it encapsulates a concept. When, as in many of the examples presented in this book, it simply translates a clear communicative concept into the specific language of visual interaction. In such cases, words are superfluous. In fact an image can tell a story entirely unassisted. At first sight an image ought not to be capable of developing a narrative over time, as it is locked into the instant of a photographic shot. But in reality, the moment crystallized in the image can be a condensed story, a vision deriving from a more extensive narrative flux. This encourages the spectator to reconstruct the story in his own mind. A moment that is capable of incorporating great emotion and liberating equally intense sentiments.

The power of creativity.
by Oliviero Toscani

"Creativity is genesis, birth and divine force, energy, imagination, suffering, commitment, faith and generosity.
Creativity must be visionary, subversive and disturbing.
But above all it must be innovative, it must forcibly convey ideas and concepts, it must question stereotypes and old models.
Creativity needs courage.
Only true creative talents are not afraid of creativity."

"The photograph is, and will for a long time remain the starting point of the modern image.
It is a universe of communication that always starts from reality, even if it modifies it, defiles it and wipes it out.
A picture is more real than reality because it is a universe that is both closed and open to a thousand interpretations."

The paradoxical art of the visual.
by Giovanni Baule

It may sound like a paradox, that is, unexpected, contrary to popular opinion; and yet perhaps paradox itself is the code that regulates communicative-visual rhetoric. As George Steiner pointed out, we use language far more often to describe what is missing than to describe actual reality. We often speak in the absence of something or someone, turning on its head that principle of good education which states that you should never speak about those (well? badly?) that aren't present. Communication (visual) is, however, a continual dialogue about things that are absent. And for centuries sacred, mythological and symbolist iconology worked in this direction until they reached an extreme objective: the figuration of that which cannot be represented.

Later, paradoxically, the pioneers of poster art used all their artistic skill to speak in the absence of goods, or rather the products they were asked to advertise, which they did so without reproducing exact replicas. Moreover, they experimented on extremely bright chromolitographic supports with dazzling games of light and colour, using all narrative formulas that enabled them to evoke without showing directly. Limiting as far as possible the visual representation of the product, reducing it to a minor reference if not denying it completely, they laid the basis of visual mechanics. Cappiello developed prototypes in this area, introducing the system of imaginative iconography, brand personification, using imaginative and dreamlike transfiguration, a process of abstraction that hailed a new figurative landscape.

The great mission carried out by this historical visual movement was the development of the look: an authentic education of the masses as regards the visual carried out by authentic 'trainers', who changed, from generation to generation, common perceptive traits. With the same knowing objective laid down by Proust: the author models his readership which, although inexistent when he begun writing, would begin to exist as a consequence, as a result of his work. The visual gradually establishes a different kind of sensitivity: there is, in the process that distances images from their references, a genetic modification of the visual, which becomes increasingly used to seeing, through images, tales and stories rather than things.

The gymnastics with which we exercise the visual takes the form of continually going beyond the visible surface of things: intensive training that we embark on to convince ourselves that there are many other sides to reality beyond those the decidedly unilateral faces in our visual field, and those that come back at us as the two-dimensional projection of the image on our retina; as such you can feel a new depth, which represents the distance between 'seeability' and visibility. All this leads to a new geometry of the visual that extends into infinity, that regards ecstasy: the being kidnapped by unpredictable visions.

When you work on that which "goes without saying", on the implicit, focusing on that which can be read between the lines, argumentative strategies go beyond stereotypes and take root in the paradoxical landscapes that comprise the "suspended time" of the visual. Just as the construction of the best visual breaks through the traditional confines of the target and its fundamentalisms to offer a form of communication that converses with the community of listeners-citizens that are less segmented and more adult and free to interact with the system of communicated goods.

The art of the visual – which one captures immediately when presented with one of Marini's narrations - is a work founded on a subtractive technique: a work that consists of a continual filing down, of reducing things to their essence. "Being an artist means knowing how to smooth the rough edges of reality until they are so smooth that they reflect the immensity, from the heights of the sky down to the depths of Hell" (Schnitzler). Everything is made possible through the careful and structured use of the delicate appearance of things, no longer things but sensory connections that require more connectivity than creativity.

Paradoxical, but not really. The extreme clarity of Marini's visuals, their clear depths, their grasp of detail, their knowing connections, above all their respect for pauses and silence, that mildly aristocratic manner that defines him, that rare communicative sharpness all lead in this direction: that of images that leave a hole in the rough surfaces of things to find their own rhythm. It is a continuous "cancelling of everything to start from scratch; attaining the most extraordinary results, reducing visual elements and language to a minimum, just like in a world at the end of the world" (Calvino).

In such a way works the best visual, which is such on one condition: that of knowing how to rise above the unbearable noise of the communicative landscape that welcomes and carries it. That floods and consumes it when visual saturation becomes unbearable, that produces clotting overlaps, that blocks the free circulation of images.
The "theft of the imaginary and the civilisation of noise" (Dorfles) lie forever in wait, ready to destroy the visionary education that the visual has spent 100 years working towards. But the paradoxical ruse of the visual can bring active antibodies to the civilisation of the stolen imaginary.

Full stop new line...

by Till Neuburg

Let's start with the full stop.
In modern advertising, titles always end with a full stop. Sometimes with an exclamation mark. But not in newspapers and books.
On the cover of his first publishing project, Lorenzo Marini placed a full stop, calligraphic, discreet, but readily legible. "This book has no title because it was written by an art director". The fact that this non-title was fully entitled to be a title was a piece of semantic wit by a copywriter who usually enjoys being an art director. It was both an artifice and a game. An artificial game.
The full stop marks the end of a sentence. Nothing more, nothing less. It is a very small mark, virtually imperceptible. If it were further reduced we would risk not seeing it. The full stop is an essential part of signing, spelling, classical and modern communications. Stop. Punto.
Giambattista Bodoni and Marchionne permitting.
The full stop needs no introduction, translation or declination. Amongst characters, it is the only element that never changes. When we try to replicate it and put several of them into a line, the full stop is no longer the stop that it used to be. Fullstopfullstopfullstop… has nothing in common with its typographical, semantic and grammatical ancestor. That short string of pearls, artificial and conversational, opens new directions, windows and options. Those dots are an invitation to widen one's thought – and they can even overturn the meaning of the word preceding them.
In everyday language, a full stop can be a dead stop, a break, a point of no return. Actually, in contemporary language the full stop may be considered as a slightly Calvinist punctuation mark. There is no chance of any alternative interpretation or variation. It is a sort of warning, clear and absolute. The End.
From Ponte Chiasso right down to the isle of Lampedusa, short sentences, clarity and directness are not very popular. If you want to be understood, you have to allude, read and write in jargon, ideally read and write between the lines. You have to continuously change gesticulation, volume, tone and colour.
But that accursed full stop is nearly always black on white. Black and white. A veritable semantic Noir in the midst of our colourful language of nostalgic chatter, amongst currents, relatives and snakes (as in the popular Italian expression). As if to say: Fritz Lang ending up at Cinecittà to film "Totò in Colour". But, all over the world, multiplex screens, newsprint and photocopying paper are all white. Whiter than white.
Which brings us back to the centre of our plot.
As everybody knows (in this case, "everybody" is not a hyperbole directed uniquely to advertising professionals, because he is familiar to the millions of viewers of the popular TV programme Bulldozer starring Vergassola and Ms. Panicucci), Lorenzo Marini loves white. He loves it austerely, but passionately. Not only does he like to wear the paradoxical sum of the colours of the rainbow, but in his agency – which resembles an art collector's spacious summer residence – there is a corner that represents an invitation to set off for a Grand Tour through the thoughts of this unusual communicator. An area that in other agencies is marked with the impersonal notice Meeting Room, is here a bright location where a guest can choose from ten pure-white chairs, all different, made in

absolutely unique, individual, diverse materials, styles and forms. Ten candid wedding invitations, to the long awaited marriage of peace, silence and relaxation. The visual petting that in the world of advertising is a privilege usually reserved for the tycoons of holdings controlling the international business sector of media, adverts and commercials.
As long ago as 1996, in an interview in Der Spiegel, the essayist and poet Hans Magnus Enzensberger had defined the values that would later become the new paradigms of luxury: space, silence, time, security, silence, a logical setting.
Amongst the abbreviated agency names that create the most successful campaigns in Italy, Lorenzo Marini & Associati is one of the very few that does not have to continuously liaise with the dreaded Financial Strategists and Cost Controllers in London, New York, Paris or Tokyo.
To paraphrase the verbal battles of men such as Benjamin Franklin and de Lafayette, in Via Tortona 15, Milan, it has never been necessary to fight a War of Independence. The only white flag that has been waved at that agency was, and still is, the banner of originality. Every time one begins talking to a client, everything starts afresh. Every campaign is a new start-up. At the beginning, the notepaper and layout pads are always blank. No models, no standard patterns, no formats. While not denying experience and expertise, all reference to previous campaigns is cancelled.
And so one starts with a fruitful clean slate, set to fast rewind. The style adopted by Marini and his creative directors consists of the fact that, unlike the dominant system of so-called trendy models, he does not have a style. If I may be permitted to say it paraphrasing the inevitable Oscar Wilde: "If you want to understand other people, you have to become more individual". It is natural to continue this link to the world of the great Irish writer: "The true mystery of the world is the visible, not the invisible".
When Magritte painted his famous pipe with the caption "Ceci n'est pas une pipe", he was expressing something poetic, but also something powerfully obvious: that which we call a pipe is just a picture, in which, ça va sans dire, this virtuality "alone" represents the great difference between the object depicted and a revolutionary work of conceptual art.
That pipe is a performance, an event, the historic materialization of an idea that the artist had in mind. It is a pipe that is not a pipe, but just the "visual" of a pipe. It is a statement, a declaration, a "manifesto", to use a term common in this country. Its power lies in the fact that what is usually called a headline in this case is a visual. It is a verbal pictogram that a friend of the artist, philosopher Michel Foucault, succinctly defined with the bon mot "Calligram".
The calligram is a sort of visual poem, that had already been used by Simias of Rhodes and Theocritus, and, in the Ancient Roman period, by Livy and Publius Optatianus Porphyrius. In the Middle Ages it was developed by German theologian Rabanus Maurus and it was later rediscovered by avant-garde 20th century writers and artists: Mallarmé, Apollinaire, Marinetti and Ardengo Soffici.
Taking a closer look (looking – not seeing!), the graphic design of the Russian Suprematists, the Bauhaus, the Dutch De Stijl, and much of Pop communication (not Pop Art, which was essentially a light-hearted but dispassionate view of modernity) was often based on calligrams in which the word was not just an adjunct or a caption, but was in itself a means for developing an intense visual dialogue.

If then we consider, for example, the titles of films created by Saul Bass, or the famous evergreen brands (Pirelli, Mercedes, YSL, Omega, Nike), we immediately realize that even a simple motif can become a signal emitting a unique, individual energy. They are LEDs that become flashes, RGB pixels whose accumulation forms a bright LCD monitor.

Lorenzo Marini is not the sort of creative designer to be caught out using graphic citations, because his work is culture in itself. His words designed and typeset for Grazia (1990), Best Company (1997), AIDS (1999), Canali (2005), IULM, and every frame of his Chinamartini commercial (2003), are calligrams in which the spaces between motifs, letters and punctuation are organically syncopated with the entire area in which these alphabetical "visuals" are brought to life - always with elegance and levity.

But at the same time, the magic of these logical and morphological interactions can also be seen in their opposite: non-form, interstitial spaces, intervals, negative space and silence. When Marini himself quotes Miles Davis ("Don't play what's there; play what's not there"), I feel compelled to add another thought by the sublime Afro-American poet: "There are no errors".

The great significance of this verbal firework lies in the fact that effectively a single note has no value in itself. It is just quantity. Only its combinations, and the gaps between them delineating cadences and rhythmic variations, give it an aura of life and creativity. Perhaps it is no coincidence that the latest book by Lorenzo Marini is titled "Note"...

Semicolon, hyphen, close brackets.

Before our children's text messages and chatrooms were invaded by emoticons (such as the one that you have just seen in your mind's eye) and sentences such as CYAL8R, H2CUS and ILBL8, writing words was always a direct extension of our senses onto paper, whether written or printed: a perennial mutation from immaculate sheet to image and ABC. Writing, drawing, colouring and printing were arbitrary or mandatory decisions, individual or collective, manual or hyper-technological, but they always began from the pure white sheet inseminated by the adrenaline of our thought. It was up to us (schoolkids, scholars, poets, readers, copywriters, consumers) to invent, interpret, measure and follow the succession of spaces, the cadenced frequency of black and white, the dreamy or frenetic respiration of a letter, a flourish, a capital letter or a signature. In the Italians' collective imagery, the pathetic "From the Apennines to the Andes" has become a frenetic "From fingertips to eyeballs". But in between there were Futurism, White Telephones, The 63 Group, television and advertising. The publication of "Heart" and the "Creamy heart" advertising campaign are separated by exactly one century. A hundred years of multitude, during which the black and white of newspaper has evolved into the 262,000 colours that we can now see on our cellphones.

A century that has flown by. And so all of a sudden, things happen to us every day that we could not even have begun to anticipate and imagine up until a few years ago: mutations, erase, crashes, black-outs – a colourful series of events. Busy as we are chasing numbers, records, formulae and amounts, we are losing sight of our mysterious capability of identifying our Songlines and recognising our own footprints.

I am thinking of the trail that we leave behind us during the course of our life, but also the digital prints - not zero-one binary digital, but our fingerprints. Historical memory is not nostalgia. It never can be. I never invite a friend, or a client, and absolutely never a student, to yearn for the past – above all if that past belongs to me. It doesn't matter knowing from where we came from and where we are going. Looking (and not just seeing), listening (and not just hearing) and understanding (and not just learning) is far more useful and creative than any philosophical support. Above all, we have to learn how to gain nourishment through our eyes. In Lorenzo Marini's words: «I have a special admiration for those courageous people, the three percent, who frequent bookshops. Three percent who read a hundred percent. Three percent trying for wisdom. Dreams. And of being free».

I think that with this thought, Lorenzo Marini finds himself in excellent company. The great Jorge L. Borges expressed it thus: «I am not proud of the books that I have written, I am proud of the books that I have read». And it is likely that this brilliant creator of verbal images would now be described, amongst the insidious euphemisms that are abundant in today's world, as a visionary.

It is no coincidence that the Braille alphabet consists of many dots, all rendered perfectly tangible and "visible" by means of a colour that, all considered, is the primordial energy that generated life. I am referring to the most magical, fertile and powerful visual.

I'm talking about the purity of white, would you believe it.

Laud of the unessential.
by Marco Barbieri

Essential is invisible to eyes: as in all aphorisms, the truth contained in the words of The Little Prince dazzles and therefore obscures all the rest. This does not mean that the rest is less truthful. Supposing that sight has the duty of observing the unessential, we would also have to recognize that pleasure begins here. And knowledge's adventure. Without going back to the times of Eden's tree we have to consider that our vicissitudes, historical and personal, are always inextricably entwined in the unessential, that isn't at all superfluous. In Lorenzo Marini's case, the rigorous and amused exercise on "visual" combines with an equally serious and playful employ of words. Which is also unessential, if closer analysed, as it is anchored to the curse of meaning: as Stravinskij suggested only music can proudly defend an a-semantic art. Defined the playing field - narrowness that makes us suffer, but allows us the challenge, not only with ourselves - here we are at the 10 years anniversary match that Marini has summarised. Players play to play, champions expect to win. And these are images of success, both when they propose the methods and when they reveal the performances; repertoire and creation chase each other, nourishing. In a continuous transformation. In constant movement. No image exists without movement. We wouldn't even be able to perceive the deceiving fixity of a photogram, of a poster, of a shot, if eyes didn't move for us: saccades save us from real emptiness, organizing for us a false "full" of emotion. Sight is this intrusive sense apparatus that fogs the essential; but coating it up with unessential particulars it preserves, wraps, maintains it for us, for when we will be able to stare at it without the fear of not seeing anything. In the waiting of that time, we are here and now. Chasing Mondrian's grids, or rocking in Manara's curls; challenging Borromini's un-easy perfection, or astonishing ourselves with an anonymous scribble in red pen; observing the trial of graphic design or the creation of an interior design. Guided in "an investigation to find a privileged relationship with maginary. Not the popular, that one we leave to advertisement's sociology, but the personal, the individual, only ours". What would we be without our "imaginary"? Obviously, it doesn't only concern "visual" images, but also synesthetic memories: then again the eye very often becomes the director of our sensorial recollections. But "our" imaginary has a physiologic need of nourishing, to not wither; it has to grow so not to shrink. Victim of the world's entropy, our imaginary has to create in order to not succumb and nothing is more creative than invention, in its etymological sense: a finding, discovery, and re-discovery. With Marini's "visuals" we are happy to be little fish that swallow the bait: a genuine nourishment justifies a happy death, only way to go back to rest in the essential.

White's patience.
by Alessia Castellani

A sort of "chromatic reserve" rules Lorenzo Marini's paintings, a kind of reserve for which colour appears in fleeting apparitions, in candour's sudden fractures of the supporting surface. The paintings gain the value of variation of a theme: the one of white and, strictly related to it, the theme of emptiness. In his book Note, dedicated to certain aspects of his work in the field of advertisement, Lorenzo himself highlights how white is "elegant as silence. [It] is the waiting of ink on a piece of paper or the waiting of colour on a canvas to be painted". This tendency of reducing colour, in close proximity to becoming achromous, finds distinct parallelisms in oriental cultures where, especially in Japanese painting, through a progressive removal of superfluous work it reaches at the survival of the sole tones of white and of black. Toshihiko Izustu, author of a striking text on Zen Buddhism, dedicates stunning pages to what he defines as "artistic asceticism" of oriental painting, confronting it with haiku, "the most intimate structure of poetic expression of the world". Equivalently, for Lorenzo, "the sense of colours traditionally intended stops in front of white, permanent stimulus towards sense spiritualization". The process of achromatizing is obtained, in oriental mores, through what in Japan is called, with an only apparently brutal expression, "murder of colour". The deletion of the chromatic aspect is necessary because "in absence of colour there is a vague memory of all the colours that have been killed". The tendency to achromia, therefore, is far away from being a simple absence, and it's in this aspect that, as Marini highlights, the intimate paradox of white is a: "queer contradiction: white's colour is the adding up of all colours nevertheless its perception is linked to absence".

Japanese culture doesn't mislay the complexity of the relationship between absence and presence of colour, conscious that all the charm and depth of white can be grasped only by an eye able to appreciate the infinite chromatic variations and combinations offered by nature. Colour's survival, secretly evoked underneath white's candour, offers a positive connotation to its elimination: "the exterior absence of colour takes on a positive aesthetic value like an inner presence of colour". An equivalent, intimate contradiction characterises white spaces built by Lorenzo, inhabited and nearly furtively traversed by chromatic traces. There is no expedient that tries to hide the rigorous architectonic construction of the painting, mindful of the artist's background, and nevertheless it is constantly questioned by Lorenzo's mixed media and profoundly pictorial sensitivity, expressed through lighting of colour blots and through the use of extra-pictorial materials such as, cotton wool, chalk, glue and paper which make the surfaces vibrant. Beyond the rigorous layout of white space a more complex reality is shown. The base geometric scheme, for instance, is regularly denied by the outflow of colour, scarcely inclined to be imprisoned, as if a centrifugal tendency animated the spatial architecture. The candour of white gives in to the shades of red, it allows to be traversed by traces of blue, it clots in lumps of chalk, the smoothness of the background clashes with the coarse incoherence of the mixed media surface marked by time: moment "damned, wonderful and yearning" when "reason and heart blend". A form of resistance to the spreading of white is sensed, because imperfect is the

nature o existence, and because nothing is more complex of representing emptiness: "Drawing a white space in which nothing at all is depicted - this is the most difficult thing to realize in painting".
Lorenzo Marini has undertaken a daring and patient test: white, as emptiness, is of power utterly populated, and it is from this ability of sense condensation that all the expressive force comes from. "There where there is nothing, there is everything, There are the flowers, there is the moon, there is the overlook".

The visual as interior design.
by Lorenzo Marini

In transparency the light passes through the material, but on white it is appeased. It finds its haven, its certainty.
The space is like an announcement, but while this is two-dimensional, interior design works across all dimensions and sensations. That which on a poster represents a journey for the eyes, here, in the home, becomes a physical path. Everything becomes a packshot because everything is a point of arrival. The lay-out becomes a creator of atmosphere, just as in advertising where it becomes a creator of emotion.
In contrast, whilst communication is public, furnishing is private. It needs no testing or research: the buyer is also the end user.
The embellishing visual is fluctuating and evasive. Fluctuating because it is never fixed or definite, evasive because it represents an escape from the certain, public and exhibited world.
The elements of the visual-interior can be just like lettering: long seller or trendy. There are fonts that will always be fashionable, such as Bodoni or Gill, just as there are handmade products that have become contemporary archetypes, such as Le Corbusier's LC2 and Frau's Vanity Fair.
The architecture is variable just like the graphics – the important thing is the efficacy of the iconography
Just as the visual of the announcements I prefer must be clean, essential and precise, the visual of the living space should also be a place where you can think, a tribute to harmony, an excuse to make object and subject interact.
A visual of the city – an apartment in the centre of town – is necessarily oriented to spatial functionality and contemporary style, whilst a visual of the countryside – a former 18th century monastery in Valsesia – is naturally a setting for connections with the surrounding environment and a celebration of the past and its history. The poeticisation of the place takes place through playful recovery and the visual composition becomes a fluid perception of straight and curved lines, circles and arched lines.
On the contrary, the urban visual, the inhabited area of the city, hides the sensuality of wood in favour of metal and white, a pragmatic exchange between object and fruition.
In both cases, the living areas are visuals that enable us to investigate and find a privileged relationship with the imaginary. Not the collective imaginary – that we'll leave to the sociology of advertising – but that which is personal, individual, exclusively ours.